D1009214

RECLAM - BIBLIOTHEK

Robert Schneider, geb. 1961, ist in Meschach aufgewachsen, einem österreichischen Bergdorf in den rheintalischen Alpen.
Im Herbst 1992 debütierte er bei Reclam Leipzig mit dem Roman *Schlafes Bruder,* einer erfundenen Geschichte über den Musiker Johannes Elias Alder, der sich 22jährig durch Schlafentzug das Leben nimmt.
Schlafes Bruder, dessen Manuskript von 23 Verlagen abgelehnt worden war, wurde zu einem Stück Weltliteratur und von der in- und ausländischen Literaturkritik geradezu euphorisch gefeiert. Für das Buch, das derzeit in 24 Sprachen übertragen wird, erhielt Schneider eine Vielzahl von Preisen, darunter den *Literaturpreis der Salzburger Osterfestspiele,* den *Marieluise-Fleißer-Preis* der Stadt Ingolstadt, den französischen *Prix Médicis* und den italienischen *Premio Grinzane Cavour* für den besten ausländischen Roman. *Schlafes Bruder* wurde von Joseph Vilsmaier für das Kino verfilmt, vom Pfalztheater Kaiserslautern als Ballett vertanzt und von Herbert Willi als Oper vertont.

Robert Schneider

Schlafes Bruder

Roman

RECLAM VERLAG LEIPZIG

ISBN 3-379-03001-5

Reclam-Bibliothek Band 3001
Einmalige Sonderausgabe 1998
Reihengestaltung: Hans Peter Willberg
Umschlaggestaltung: Kay Krause und Alexander
Fleischmann, Leipzig, unter Verwendung eines
Szenenfotos aus der gleichnamigen Verfilmung
(© Bildarchiv Engelmeier, München)
Foto S. 1: © Xavier Coton
Gesetzt aus der Times-Antiqua
Satz: BFS Service GmbH, Chemnitz
Druck und Binden: Ebner Ulm
Printed in Germany

Pascales Herzschlagen

Wer liebt, schläft nicht

DAS ist die Geschichte des Musikers Johannes Elias Alder, der zweiundzwanzigjährig sein Leben zu Tode brachte, nachdem er beschlossen hatte, nicht mehr zu schlafen.

Denn er war in unsägliche und darum unglückliche Liebe zu seiner Cousine Elsbeth entbrannt und seit jener Zeit nicht länger willens, auch nur einen Augenblick lang zu ruhen, bis daß er das Geheimnis der Unmöglichkeit seines Liebens zugrunde geforscht hätte. Tapfer hielt er bis zu seinem unglaublichen Ende bei sich, daß die Zeit des Schlafs Verschwendung und folglich Sünde sei, ihm dereinst im Fegefeuer aufgerechnet werde, denn im Schlaf sei man tot, jedenfalls lebe man nicht wirklich. Nicht von ungefähr vergliche ein altes Wort Schlaf und Tod mit Brüdern. Wie, dachte er, könne ein Mann reinen Herzens behaupten, er liebe sein Weib ein Leben lang, tue dies aber nur des Tags und dann vielleicht nur über die Dauer eines Gedankens? Das könne nicht von Wahrheit zeugen, denn wer schlafe, liebe nicht.

So dachte Johannes Elias Alder, und sein spektakulärer Tod war der letzte Tribut dieser Liebe. Die Welt dieses Menschen und den Lauf seines elenden Lebens wollen wir beschreiben.

Das letzte Kapitel

ALS 1912 Cosmas Alder, der letzte Bewohner von Eschberg, einem Bergdorf im mittleren Vorarlberg, auf seinem verwahrlosten Hof verhungert war – nicht einmal die Alten im nahen Götzberg ahnten einen noch lebenden Menschen dort oben –, beschloß auch die Natur endgültig, jeden Gedanken an dieses Dorf auszulöschen. Es schien, als hätte sie fast respektvoll den erbärmlichen Tod ihres letzten Bezwingers abgewartet, um dann mit Wucht und für immer in die lichten Weiler zu fallen. Was ihr vor Jahrhunderten der Mensch weggenommen hatte, holte sie jetzt zurück. Den einstigen Dorfweg und die Pfade zu den Gehöften hatte sie längst mit stachligem Gestrüpp in Beschlag genommen, die Reste der verkohlten Ställe und Häuser verrottet, ihre Grundmauern bemoost. Nach dem Tod des störrischen Greisen fiel sie immer bunter und launiger in die steilen Bergbündten, wo ihr ehemals die Äxte jeden Jungbaum hartnäckig abgeschlagen.

Und die Esche, ihr Lieblingsbaum, wuchs wieder in großer Zahl und stark.

Nach dem Dritten Feuer innerhalb eines einzigen Jahrhunderts – sein nächtlicher Widerschein wurde noch vom Appenzellischen her lärmend bestaunt – , begriffen auch die Lamparter und Alder, die einzigen Geschlechter in Eschberg, daß Gott dort den Menschen nie gewollt hatte. In der Nacht des Dritten Feuers, am 5. September 1892, verbrannten in ihren Betten zwölf Menschen, in den Ställen achtundvierzig Stück Vieh. Den ganzen Tag hatte ein höllischer Föhnwind im Gebälk der Häuser gewühlt, hatte in den Wäldern rumort und geächzt, daß man im nachhinein behaupten durfte, da habe einer im festen Wissen um die kommende Katastrophe ein tausendstimmiges Gelächter angehoben. In der Nacht des Dritten Feuers wagte niemand in Eschberg, seinen Herd anzuzünden, nicht einmal die Kerze zum Gebet. Jeder wußte – das Kind aus den drohenden Erzählungen und den plötzlich gespenstischen Augen der Alten – , was ein offenes Licht zur Föhnzeit anzurichten imstande war. Ein Lamparter, der das Zweite Feuer erlebt, sich dunkel des Ersten besinnen mochte, ging noch in derselben Nacht von Hof zu Hof, einem jeden, wenn nötig mit Gewalt, das Licht zu verbieten. Er schlich hin und spähte in Ställe, Stuben und Gaden und wurde nicht des geringsten Scheins gewahr. Er naste nach den Schornsteinen und roch nicht einmal die Prise kalten Rauchs. Gegen zwei legte er sich auf seinen Laubsack und schlief ruhiger.

Gegen drei verbrannte das ganze Dorf und der Wald um das Dorf in weniger als einer Stunde. Von der Kirche St. Wolfgang und die Hänge hinauf und über die Waldrücken bis zu den Berggraten trieb der Föhn das schreiende Feuer.

In der Nacht des Dritten Feuers flüchteten die Überlebenden im Bachlauf der Emmer brüllend, höhnend und weinend vor Zorn und Verzweiflung hinunter ins Rheintalische, wo sie in der Folge der Zeit entweder in Armut verkamen, oder als bloße Brotknechte bis zum Ende ihres Lebens das Land anderer bestellten. Cosmas Alder, der wie die restlichen zwölf verbrannt geglaubt wurde und für welchen man im nahen Götzberg schon das Dies-Irae gesungen hatte, verblieb als einziger Mensch auf seinem verkohlten Gehöft. Er hatte in den feuchten Mauern seines Kellers geschlafen, denn er pflegte nächtens mit seiner dort begrabenen Tochter Zwiesprache zu halten. Cosmas' Tochter war eine Abtreiberin gewesen, und der Pfarrer von Götzberg hatte ein kirchliches Begräbnis nicht verantworten können. Als nun Cosmas Alder sah, was Gott angerichtet hatte, beschloß er, auf seinem Hof zu bleiben und untätig den Tag des Jüngsten Gerichts zu erwarten. Zwanzig Jahre hauste er in seinen Ruinen, unternahm nicht die geringste Anstrengung, den Hof wieder aufzubauen, verließ ihn nur, wenn der Hunger ihn immer tiefer in die fröhlichen Jungwälder trieb. Schließlich verhungerte er wirklich. Nicht weil es an Nahrung gefehlt hätte – ein Eschberger wußte alles zu verkochen – , sondern schlicht aus lebensmüdem Trotz.

So zeigte der letzte Alder und zugleich letzte Eschberger noch einmal jenen verhängnisvoll störrischen Charakter, welchen überhaupt das ganze Dorf jahrhundertelang an sich getragen und welchem es schließlich seine Auslöschung zu verdanken hatte.

Die Ungeborenen

DIE Aufgabe, Leben und Bräuche der Lamparter und Alder in einem Buch niederzulegen, die Vermischung beider Geschlechter mit präziser Feder in hundert sich kreuzenden Strichen glücklich zu entwirren, die körperlichen Inzuchtschäden, den überdehnten Kopf, die geschwellte Unterlippe im tiefliegenden Kinn als gesundes Ursein zu verteidigen, diese Aufgabe mag sich ein Freund der Heimatgeschichte stellen, der sich um eine innige Kenntnis seiner Vorfahren bemüht. Trotzdem wäre es in allem vertane Zeit, die Geschichte der Eschberger Bauern zu beschreiben, das armselige Einerlei ihres Jahreslaufs, ihre bösen Händel, ihren absonderlich fanatischen Glauben, ihren nicht zu übertreffenden Starrsinn gegen die Neuerungen von draußen, hätte nicht zu Beginn des 19. Jahrhunderts ausgerechnet das Geschlecht der Alder ein Kind mit einer so hohen Musikalität hervorgebracht, die im wahren Sinn des Wortes unerhört war, und, wie es scheint, im Vorarlbergischen auch nicht wieder gehört werden wird. Ein Kind mit Namen Johannes Elias.

Die Beschreibung seines Lebens ist nichts als die traurige Aufzählung der Unterlassungen und Versäumnisse all derer, welche vielleicht das große Talent dieses Menschen erahnt haben, es aber aus Teilnahmslosigkeit, schlichter Dummheit, oder wie jener Cantor Goller, Domorganist zu Feldberg (dessen Gebeine exhumiert und in alle Windesrichtungen verstreut werden sollten, auf daß sein Leib am Tag der Sieben Posaunen nicht wieder zu sich finde), aus purem Neid verkommen ließen. Es ist eine Anklage wider Gott, dem es in seiner Verschwenderlaune gefallen hatte, die so wertvolle Gabe der Musik ausgerechnet über ein Eschberger Bauernkind auszugießen, wo er doch hätte absehen müssen, daß es sich und seine Anlage in dieser musiknotständigen Gegend niemals würde nutzen und vollenden können. Überdies gefiel es Gott, den Johannes Elias mit einer solchen Leidenschaft nach der Liebe auszustatten, daß davon sein Leben vor der Zeit verzehrt wurde.

Gott schuf einen Musikanten, ohne daß dieser auch nur einen einzigen Takt auf Papier setzen durfte, denn er hatte das Notenhandwerk nie erlernen können, sosehr er sich danach gesehnt hatte. Die Menschen aber vollendeten in ihrer himmlischen Einfalt diesen – wir wollen es nicht anders bezeichnen – satanischen Plan.

Als uns das bestürzende Schicksal des Johannes

Elias Alder zu Ohren kam, da wurden wir still und dachten: Welch prachtvolle Menschen, Philosophen, Denker, Dichter, Bildner und Musiker muß die Welt verloren haben, nur weil es ihnen nicht gegönnt war, ihr genuines Handwerk zu erlernen. Und wir spannen fort, daß Sokrates nicht der höchste Denker, Jesus nicht der größte Liebende, Leonardo nicht der trefflichste Bildner und Mozart nicht der vollkommenste Musiker sein konnte, daß vollends andere Namen den Gang dieser Welt bestimmt hätten. Da trauerten wir um diese unbekannten, diese geborenen und doch zeitlebens ungeborenen Menschen. Johannes Elias Alder war einer von diesen.

Die Geburt

ZUM dritten Mal an diesem Nachmittag Johannis 1803 wog Seff Alder die Tür in den Gaden, wo sein Weib lag, die zweite Niederkunft erbettelnd und erschreiend. Es schien, als ließe sich ihr Zweites nicht erpressen, als sperrte es sich gegen diese Welt, in die es aus freiem Willen nicht treten wollte. Sosehr sich die Bedauernswerte anstrengte, es zu gebären und schließlich unter gellendem Weh die Hände gegen den Bauch stemmte, das Kind kam nicht zur Welt.

Seff hob den Atem. Die Luft war satt vom Schweiß und Blut der Seffin. Er wandte sich zum Fenster und riß es so mächtig auf, daß davon das halbe Zimmer in Vibration geriet. Vom Fensterstock die Wand hinab vibrierte es, über die Dielen zur Bettstatt und hinauf in den fiebernden Kopf der Gebärenden. Das Fenster zu öffnen schien der einzige Trost, den er seinem Weib geben konnte. Seff war kein Redner. Die Luft spiegelte die Sonne, so schwül war es an diesem Junitag, und ihr Zug bewirkte keine Linderung. Seff spähte aus dem Fenster, hinab zur äußersten Biegung des Dorfwegs, woher doch endlich diese gottverreckte Hebamme kommen mußte. Zwei Stunden und mehr waren vergangen, seit er den Buben nach Götzberg geschickt hatte. Dann sah er sie ungläubig wirklich aus der Kurve treten, wie sie sich mit ihrem roten Lederkoffer und den geschulterten Gurten heraufplackte. Sein Bub, sah er, lief hinterdrein. Seff schob das Fenster zu, ging zu seinem Weib, blickte in den Wasserkrug auf dem Kästchen, goß das unberührte Glas randvoll, wog die Tür und erdachte seinem Weib ein In-Gottes-Namen. Er hätte ihr sagen mögen, daß die Ellensönin gekommen sei. Seff war kein Redner. Unten wartete er in der sperrweit geöffneten Tür, und als die Hebamme schwitzend und schnaufend eintrat, wies er ihr Most, die zwanzig Kreuzer Taggeld und die Stiege zum Elterngaden. Dann ging er mit seinem Buben in den angrenzenden Weiler hinüber, das Heu ein letztes Mal zu wenden.

Sein Weib oben im Gaden gellte vor Schmerzen.

Die Ellensönin machte sich freudlos und ohne die längst gebotene Eile ans Werk. Als sie auf der engtrittigen Stiege zum dritten Mal stolperte, war es beschlossene Sache, den Plan, den sie beim Heraufweg im geschwätzigen Kopf hin- und hergewälzt hatte, unwiderruflich in die Tat zu setzen.

Diese hier sei endgültig die letzte Geburt. Sie sei noch immer jung, trotz der einundzwanzig Jahre. Und ihre Stirn zog ungeduldige Falten. Außerdem habe sie zarte Hände, das habe ihr auch schon einer gesagt. Händ', viel zu zart für die Hebammerei. Und sie runzelte die Stirn noch unzufriedener. Auf dem Waschtisch ordnete sie ihr Instrumentarium in der Reihenfolge, wie sie es auf der Hebammenschule zu Innsbruck gelernt hatte: Die Klistierspritze, daneben immer die Taufspritze, das Mutterrohr, die Wendungsschlinge, den Katheter und zum Schluß die Nabelschere. Dann fing sie an, die Gurte nach Länge und Funktion zu ordnen.

Die Seffin gellte vor Schmerzen.

Doch, sinnierte die Ellensönin, sie wolle jetzt das Angebot des Franz Hirsch aus Hötting annehmen und sich beim Beck verdingen. Das garantiere ihr Freibrot und ein höheres Taggeld, mindestens dreißig Kreuzer. Dann sei sie auch die leidigen Händel mit dem Gemeindediener für immer los. Das ewige Streiten ums weihnachtliche Wartgeld, das ihr doch der Herr Richter vom Civil- und Criminalgericht zu Feldberg persönlich zugesichert habe. Der Gemeindediener mit seiner bockigen Art wolle sie ja nur mürbe machen. Von ihretwegen. Es sollen das Geschäft in Zukunft ruhig die Freihebammen verrichten. Aber das wolle sie dann noch erleben, ob die dem Gemeindediener wirklich billiger zu stehen kommen. Nein, diesen Casus sei sie endgültig leid. Und überhaupt müsse ihr der Gemeindediener nichts vormachen. Nur weil sie ihn vor Jahren einmal beim Tanz abgewiesen, deshalb sei er jetzt so sekkant mit ihr. Was könne sie denn dafür, daß er ein Schwellmaul habe und Ziegenfüße.

Die Seffin gellte vor Schmerzen.

Außerdem stimme es nicht, daß ihr ein Mannsbild nie mehr einen Antrag machen werde, denn der Franz Hirsch aus Hötting habe ihr just vor zwei Wochen einen gemacht. Brieflich, jawohl brieflich. Und der Franz Hirsch aus Hötting sei in allem um vieles gebildeter als das Schwellmaul, dieser kleine aufgeblasene Gemeindediener. Zu guter Letzt sei der Franz Hirsch aus Hötting auch noch ein durchaus stattliches Mannsbild, wenn man von dem Buckel einmal absehe. Sie achte auf den Charakter, nur darauf achte sie. Und Innsbruck sei halt schon etwas ganz Großes. Was wolle ihr da ein Gemeindediener von der Welt erzählen, ist er doch in seinem Leben nicht weiter gekommen als bis nach Dornberg, drei Wegstunden von hier. Vielleicht werde sie aber gar nicht den Franz Hirsch aus Hötting nehmen. Sein Buckel sei halt recht bedacht doch ein böses Mallör, und sie sei eine liebliche Person mit zarten Händen. Händ', viel zu schön für die Hebammerei. Das habe ihr der Feldwaibel Zenker bei seiner k.k. Soldatenehre geschworen, jawohl. Ein kurzes Lächeln nistete sich in ihre Mundwinkel, verflog aber, als sie erneut an den Krüppel aus Hötting denken mußte, dem sie sich zwar nicht versprochen, dem sie aber mit deutlichen Andeutungen die Hoffnung entzündet hatte.

Die Seffin gellte vor Schmerzen.

Er sei in Wort und Tat ein gehöriger Kerl, wenn er bloß nicht an dem störenden Buckel trüge. Und daß er oft auf der Lunge marod, sei ihr natürlich nicht unentdeckt geblieben. Was sie denn da für Sachen denke. Schließlich achte sie auf den Charakter, nur auf den achte sie. Ein bißchen gemütskrank sei er auch. Was man vom Feldwaibel Zenker nun wirklich nicht behaupten könne. Dafür besitze der bestimmt nicht einmal zwei Morgen Land, während hingegen der Franz Hirsch aus Hötting wohlhabend sei. Vielleicht könne sie sich als Dienstbotin in einem der noblen Bürgershäuser vorstellig machen, und den vielen Krankheiten in den Häusern sei sie dann auch nicht mehr ausgesetzt. Jedenfalls wolle sie, falls sie sich bis zum Abend noch immer nicht entschieden, an der Wallfahrt der Herz-Mariä-Bruderschaft auf den Udelberg teilnehmen und die Heilige Jungfrau inständig um Ratschlag bitten. Nach Innsbruck verziehen möchte sie auf jeden Fall. Bevor sie aber gehe, wolle sie dem Schwellmaul so unverschämt die Schande ins Gesicht sagen, daß ihm vor Schreck der Bart abfalle.

Die Seffin lag und weinte ruhig.

Das beste sei, sich an die Weisung der Mutter zu halten, die Menschen nicht nach ihrem Äußeren zu beurteilen, sondern auf den Charakter Obacht zu geben. Sie tue das ohnehin. Und es sei schon wahr, daß der Feldwaibel Zenker einfach zu viel Spott und Alfanzerei mit den Menschen treibe. Sogar gegen den Kaiser habe er schon Äußerungen gemacht, während der Franz Hirsch aus Hötting nun überhaupt kein Lächeln von den Lippen bringe und …

Als sie das blutbeklatschte Linnen aufhob, lag das Kind mit gerissener Nabelschnur auf dem Knie der Seffin. Erschrocken nahm die Hebamme das Kind auf, trug es zum Waschtisch und schnitt ihm die Nabelschnur mit zittriger Hand ab. Sie stierte auf das Kind, horchte ängstlich an ihm, schüttelte und schlug es zuletzt.

Es schrie nicht.

Sie hielt den Säugling in ihren tropfenden Händen, schlug abermals auf ihn ein, horchte, hob den Atem, um das kleine Herz endlich schlagen zu hören. In ihrer Verzweiflung stimmte sie das Tedeum an, sang flehentlich und schließlich laut aus heller Angst. Plötzlich spürte sie den Fleischklumpen zusammenzucken. Dann noch einmal. Sie hielt mit dem Singen inne, horchte wieder und wußte jetzt, daß der Klumpen lebte. Das Tedeum hatte dem Kind das Leben gerettet.

Die Ellensönin konnte sich hernach nicht mehr darauf besinnen, welchen Geschlechts das Kind wirklich war. Jedenfalls gab sie beim Gemeindediener an, daß dem Joseph und der Agathe Alder ein Söhnchen geschenkt worden war, womit sie die Sache trefflich erraten hatte.

Wir verlassen an dieser Stelle die Ellensönin und ihr schwatzhaftes Wesen. Sie wird uns nicht mehr begegnen. Darum möchten wir hinzufügen, daß die Geburt des Johannes Elias tatsächlich ihr letzter Hebammendienst war, daß sie nach Innsbruck verzog und dort den – man möchte denken Feldwaibel Zenker, nein – Franz Hirsch aus Hötting ehelichte. Sie hatte sich also zugunsten des Charakters entschieden. Der Verbindung waren keine Kinder gegönnt, und Franz Hirsch aus Hötting starb 1809 an der Schwindsucht. Die Witwe heiratete ein zweites und gar ein drittes Mal. Als letzten übrigens – es ist nicht zu glauben – das Schwellmaul mit Ziegenfüßen, den Gemeindediener von Götzberg. Ab etwa 1850 verliert sich ihre Spur. Noch ein Jahr zuvor läßt sie sich aktenkundlich im Zusammenhang einer Erbschlichtungssache feststellen. Aber wir können nichts darüber aussagen, auf welche Weise sie ihr Leben beendet hat. Jedenfalls war sie zugegen, als ein genialer Musiker geboren wurde.

Nun, wer wäre nicht stolz, in seiner bescheidenen Biographie auf ein derartiges Ereignis hinweisen zu dürfen? Gesetzt, man hätte der Ellensönin damals ins Gesicht schreien dürfen, daß sich an jenem Nachmittag Johannis 1803 unter ihren Augen ein doppeltes Wunder ereignet hatte, das der Mensch- und das der Geniewerdung, sie hätte nichts begriffen. Und die anderen, die Seffin im Kindbett, der Seff und sein Bub hätten es ebensowenig begriffen. Was aber das Schlimmste ist: Als die Begabung dieses Menschen längst offenkundig war, wollte es noch immer niemand begreifen.

Ein Vater seinen Kindern

DER hochwürdige Kurat Elias Benzer war ein Mann von großen rednerischen Talenten, ein emphatischer Freund des Lebens und – dadurch bedingt und seiner natürlichen Anlage gehorchend – ein leidenschaftlicher Verehrer alles Weiblichen. Diese Leidenschaft gereichte ihm schließlich zum Untergang, wie später noch dargelegt werden wird.

Kurat Benzer stammte aus Hohenberg im Rheintalischen, das von alters her ein Bollwerk des Aberglaubens und der Dämonerei gewesen war. Darum wußte er von der letzten Hexenverfeuerung im Vorarlbergischen zu berichten, die er noch als Kind mit eigenen Augen gesehen hatte. Dieses gewaltige Erlebnis wurde zum Grundpfeiler seiner Theologie schlechthin. Unzählige Male predigte er seinen Eschberger Bauern von jener Verbrennung, und zwar derart wortfeurig, daß ihnen davon die Münder vertrockneten und das Blut in Köpfen und Ohren zu leuchten anfing. Ja einige wähnten sich gar schon angezündet oder den Flammen leibhaftig übergeben. Wo immer sich dem Kuraten Benzer in der sonntäglichen Evangelienlesung die Gelegenheit bot, eine Brücke zu seinem imposanten Kindheitserlebnis zu schlagen, überquerte er sie auch. Vermöge seiner leuchtenden Phantasie gelang es ihm, die Episode mit dem brennenden Dornbusch am Ende doch wieder in die Szene vom brennenden Weib zu Hohenberg hinüberzuführen. Im Zusammenhang derartiger Homilien wäre es in Eschberg beinahe zu einem mörderischen Vorfall gekommen. Durch die zündenden Predigten des Kuraten bestärkt und daher guten Gewissens, beschlossen drei Lamparter am Funkensonntag des Jahres 1785, anstelle der Strohhexe die Zilli Lamparter, genannt Seelenzilli, in das Funkenfeuer zu stürzen.

Die Seelenzilli, eine greise Witwe, die mutterseelenallein auf des Dorfes höchstem Hof ihres Stündleins harrte, stand in dem merkwürdigen Ruf, mit verstorbenen Eschbergern disputieren zu können. Sie begründete ihre seherische Gabe damit, daß sie von allen Bewohnern dem Herrgott am nächsten wohne und deshalb das Wehklagen der jenseitigen Herrschaften deutlich vernehmen könne, vorausgesetzt, es herrsche eine klare Sternennacht, denn eine Wolkendecke verstelle das Hören. Das leuchtete jedem ein. Als dann die Seelenzilli in der Folge behauptete, daß ihr etliche Mohren aus dem Morgenland erschienen seien, Männer und Weiber von kohlenschwarzer Haut, kohlenschwarzem Gesicht, kohlenschwarzen Gliedern und kohlenschwarzen Zähnen, da zweifelte niemand mehr an den unheimlichen Fähigkeiten dieses Weibes.

Das brachte nun die Greisin auf den Gedanken, ein System zu ersinnen, das einer Art Seelenbuchhaltung glich und ihr indirekt eine geregelte Alterspension einbringen sollte. Sie wußte, daß ein Verstorbener, ehe er ins Paradies eingeht, erst im Fegefeuer brennen muß, und also beschloß sie, einen Katalog all dessen anzulegen, das die Lebenden zur unverzüglichen Rettung ihrer toten Verwandten zu leisten hätten. Nun war in Eschberg verwandt jeder mit jedem. Um die Verwirrung geringer zu halten, hieß man sich beim Vornamen, und die Namen der Eheweiber glich man den Vornamen ihrer Männer an.

Es wanderte also eines Tages die Seelenzilli beschwerlich hinunter zum Hof eines Lamparters und eröffnete ihm, daß dessen Vater ihr jammernd und flennend erschienen sei. Der Vater könne keinen Frieden mehr finden, weil er ihr noch immer die sieben Klafter weiches gehacktes Brennholz schulde. Und weiter: In ungezählten Seancen mit Eschberger Toten wurde die Seelenzilli schließlich inne, daß ihr eigentlich jeder, ob Lamparter oder Alder, etwas schuldete. Aus ihrem Mund klang es dann gleichförmig drohend: «Acht Eier, zehn Vaterunser. Drei Pfund Wachs und fünfzig Ave. Ein Zentner Laubstreu und sieben Heilige Messen. Zehn Ellen Leinen und acht Psalter.»

Da half das ganze Schimpfen und Zutragen beim Kuraten nichts. Noch nie hatte man so viel Wachs, so viele Döchte und Heilige Messen spendiert. Noch nie war im Eschberger Kirchlein so inbrünstig gebetet worden. Wie man sieht, wußte die Seelenzilli das Notwendige mit dem Heilsamen glücklich zu verbinden, und im Grunde war sie die erste Pensionsbezieherin von Eschberg, man darf behaupten, ja, des Vorarlbergischen überhaupt.

So kam es dahin, daß man dieses Weib zu hassen begann. Unglücklicherweise grassierte zu jener Zeit eine äußerst merkwürdige und unseres Wissens bisher nur in Eschberg beobachtete Erdäpfelseuche auf den Bergäckern des Dorfes. Angeblich sollen die Erdäpfel über Nacht hohl geworden und auf Haselnußgröße geschrumpft sein. Wie auch immer.

Unter Lachen und Johlen durchsetzt vom Rosenkranzgesäusel der Weiber zog man die Seelenzilli auf einem Misthorner hinüber in den Weiler, der Altig genannt wurde, wo der Scheiterhaufen errichtet worden war. Die Seelenzilli gellte vor Todesnot und schwur, sie wolle jedem das Seine zurückgeben, aber ein Alder wies donnernd und mit feuersgeilen Augen auf die Predigten des Kuraten, und machte denen, die von der Tat schon ablassen wollten, wieder neuen Mut. Als man die Greisin vom Misthorner band, schien sie noch immer zu schreien, aber ihr eingeschlagener, von Schrunden entstellter Mund brachte keinen Laut mehr hervor. Salz klebte auf ihren furchigen Wangen, und aus den Mundwinkeln floß ein roter Speuz, den sie dürstend mit langer Zunge ableckte. Das Feuer teilte die Nacht. Etliche zogen die Hüte tiefer, verbargen ihre Gesichter, um nicht erkannt zu werden, wenn sie die Fäuste und Schuhkappen in den verlumpten Körper des Weibes spitzten. Sogar die Kinder kniffen und spuckten und ließen nicht davon ab. Als ein Unbekannter ihr das Kopftuch vom Schädel ohrfeigte, ging ein dunkles Murmeln durch die todesschwüle Bauernschar. Zum ersten Mal sah jeder, daß die Seelenzilli vollkommen kahlhäuptig war, und selbst der Kleingläubigste wähnte eine leibhaftige Hexe vor seinen Augen. Der Unbekannte trieb ihr die pralle Faust in den Magen und in die leeren Brüste, schrenzte ihr die Kleider weg, sollte doch alles so vor sich gehen, wie es der hochwürdige Kurat in seinen Predigten geschildert hatte. Aber plötzlich jellte der Unbekannte so grauenhaft auf, daß man fürchtete, er sei um den Verstand gekommen. «Die Pestseuche! Die Pestseuche!» brüllte er unaufhörlich und stürzte über den harschen Schnee in die Nacht. Und gleich den Funken der zu Boden krachenden Scheite stob auf der Stelle alles auseinander und hinein in jede Himmelsrichtung. Diese vermeintliche Pestseuche hatte dem Weib die letzten Wochen ihres Lebens gerettet.

Als unserem Kuraten dieser Vorfall durch ein Aldersches Plappermaul zu Ohren kam, gelobte er noch am selbigen Tag, nie wieder eine Feuerpredigt zu halten. Mit den Worten, es sei doch um Dreifaltigkeitswillen nicht alles bar zu nehmen, was ein Pfarrer von der Kanzel predige, entließ er das in seinem Glauben an die unzweifelbare Wahrheit des Priesterwortes empfindlich erschütterte Plappermaul.

Der geistvolle Entschluß währte aber nicht lange Zeit, denn bald mußte der Kurat feststellen, daß der religiöse Eifer der Eschberger im Abnehmen begriffen war. Die samstäglichen Rosenkränze, tadelte er, seien bloß noch von Weibsbildern besucht, die Unsitte des Tabakkäuens während des Heiligen Meßopfers sei wieder Mode geworden, einige Mannsbilder auf der Orgelempore störten mit ihrem frechen Grinsen die Andacht, und außerdem seien in den letzten zwei Wochen lediglich acht Kreuzer Opfergeldes eingegangen. Was aber das Allerschändlichste sei, und er blitzte teuflisch in die erschrockenen Äuglein einiger Alder Jungfrauen, daß neuerdings in den Häusern des Dorfes Winkeltänze veranstaltet und geistige Getränke ausgeschenkt würden. Als sich in der Folgezeit an den monierten Zuständen nichts änderte und sich an drei Sonntagen hintereinander außer ein paar Schildpattknöpfen nichts aus dem Opferbeutel rütteln ließ, brach der Kurat das Gelöbnis. Er sann auf eine Predigt, die den Eschbergern jetzt und für alle Ewigkeit den sturen Kleinmut austriebe.

Der Geist zu jener verhängnisvollen Predigt am Pfingstfest des Jahres 1800 überkam den Kuraten im Stall seines Widums, wohin er zu gehen pflegte, wenn immer er auf Schwerwiegendes sann. In der lauen Luft des Stalls, unter Kühen, Ziegen, Säuen und Hühnern, mochte er denken. Dort saß er nun auf seinem Holzfäßchen neben dem Schweinekoben, die Hände in die Stirn gelegt. Lange saß er einfallslos, wußte nur, daß er das Bild des Evangeliums – die Feuerszungen des Pfingstwunders – in ein Feuer ganz anderen Ausmaßes hinüberführen wollte. Lange saß er auf dem Fäßchen, sinnierte und fand keine Brücke, die zu überqueren ihm günstig erschien. Als ihm das Gesäß einschlief, erhob er sich unmutig, tat einige Schritte und tappte in eine noch dampfende Kuhklatter. Er rutschte, stürzte rücklings und mit dem Hinterkopf um Dreifaltigkeitswillen hart auf die Kante des Holzfäßchens. Das Fäßchen! Das war es! Das Schwarzpulver! Marodierende napoleonische Soldaten hatten es im Wald verloren. Er hatte es in Verwahrung genommen, auf daß kein Unfug damit geschehe. Vorsichtig langte er nach der daumendicken Beule und maulte, weshalb der Heilige Geist ausgerechnet auf diese Weise über ihn habe kommen müssen. Aber die Feuerpredigt war augenblicklich entworfen. Bei Nacht stieg der Kurat dann hinab in den Weiler, wo der Lamparter Haintz, der Mesmer von Eschberg, wohnte. Man sah die Kerzen bis zum Stumpf brennen. So lange blieb der Kurat.

Am Pfingsttag nahm alles seinen verhängnisvollen Lauf. Zwar stutzten etliche Kirchgänger ob der sonderbar ausgelegten Schnur, doch niemand zollte dem Umstand die ihm gebührende Obacht. Einer, dem es die Haare versengt hatte, wußte im nachhinein von einem merkwürdigen Fäßchen zu berichten. Er habe noch seinen Nachbarn gestüpft und zu ihm gesagt: «Sieh! Er selber säuft im Hause Gottes!» Ein anderer erzählte, der hochwürdige Herr Kurat habe schon beim Kyrie eine merkwürdig aufgewühlte Stimme gehabt, und ein Ministrant behauptete, daß, indes der Kurat die Kanzel emporgestiegen, der Mesmer just in dem Augenblick die Kirche mit einer eben umgestülpten Sanduhr verlassen habe.

Itzo könne sich das reinigende Pfingstfeuer vollends in das alles versengende Höllenfeuer kehren, bebte der Kurat auf der Kanzel. Belzebub sei so gewaltig, daß er in seinem Übermut nicht einmal vor den Pforten der Kirche haltmache. Item stünde es in seiner Macht, durchaus die Pforten der Kirche einzureißen, habe er einmal die Seelen für sich gewonnen. Und solches sei in Eschberg leider der Fall, darum bedürfe es nur noch einer kleinen Zeit, bis daß alles in Rauch und Schwefel untergehe. So lärmte es von der Kanzel, und eine wache Alderin gab später im Generalvikariat zu Feldberg an, der hochwürdige Herr Kurat habe den Gedanken vom Brennen, Krachen, Rauch und Schwefel gar sonderbar oft und laut wiederholt.

Dreien Bauern, die in den hinteren Bänken saßen, zerriß der Knall das Trommelfell, und das freche Grinsen der Mannsbilder auf der Orgelempore verstummte jäh. Die an der Kirchenpforte lehnten, traf es besonders unglücklich. Einem zerschlugen die berstenden Türen die Beine, einem anderen die Hüfte und einem dritten schoß das Blut aus den Ohren und bespritzte die weißgekalkte Wand bis hinauf zur Kreuzwegtafel. Unglücklich traf es auch den Mesmer, der seine Sache hatte gut machen wollen und der brennenden Lunte dicht gefolgt war, wiewohl das zu tun ihm der Kurat ausdrücklich untersagt hatte. Haintz Lamparter verlor sein Augenlicht und wäre überhaupt verbrannt, hätte er sich nicht verschockt im tauen Morgengras des Feuers abgewälzt. Die auf den Tod erschrockenen Kirchgänger rannten schreiend und, wie man hinzufügen muß, ohne den Segen des Kuraten abzuwarten, aus dem Kirchlein.

Die Sache wurde von den Eschberger Bürgern beim Civil- und Criminalgericht zu Feldberg angezeigt, doch behauptete das Generalvikariat, der Casus sei Kirchenangelegenheit, und man werde den irrigen Bruder vor einem Kirchengericht aburteilen, was dann auch geschah. Dem Kuraten wurde sein jährliches Gehalt von dreihundertfünfzig Gulden auf die Hälfte gestrichen. Ja, man stellte ihn und alle kommenden Eschberger Hirten in den Rang eines Cooperator Expositus, was zur Folge hatte, daß hinfort jede seelsorgliche Entscheidung mit dem Pfarrer von Götzberg abgesprochen werden mußte. Zwar verteidigte sich der Kurat mit beeindruckendem rednerischen Talent – man dürfe doch um Dreifaltigkeitswillen nicht jedes Wort bar nehmen, das ein Priester von der Kanzel predige – , aber es nützte ihm nichts mehr. Der Kurat verließ Eschberg drei Wochen nach jenem Sonntag, der als sogenannter Schwefelsonntag in das Angedenken eingegangen ist. Zwei Zeilen auf der Tür seines Widums deuteten darauf, daß er nach Hohenberg gewandert, die längst überfällige Sommerfrische anzutreten. Acht Monate ermangelte den Eschbergern jede seelsorgliche Pflege. Dann kehrte der Kurat unerwartet zurück. Er trug das feste Ansinnen, seinen Schäfchen zukünftig als ein weiser Hirte vorzustehen. Leider blieb es bei dem Ansinnen.

Das alles geschah drei Jahre vor der Geburt des Johannes Elias. Ein Leser, der uns zwischenzeitlich bis an diesen Punkt gefolgt ist, mag sich die Frage vorlegen, weshalb wir uns so ausführlich über den hitzigen Kuraten verbreiten und nicht endlich die Erzählung auf jenes sonderliche Kind hinführen. Er möge sich diese Frage bewahren.

Zwei Wochen nach der Geburt des Kindes fand im Kirchlein von Eschberg – das nun ob seiner erzenen, zweifach gefütterten, eisenverkeilten und zwölfangligen Flügeltüren bestaunt wurde – eine Doppeltaufe statt. Getauft wurden zwei Knaben aus dem Geschlecht der Alder, das seit Jahrzehnten unter sich verfeindet war. Der eine – unser Kind – wurde auf den Namen Johannes Elias, der andere, welcher fünf Tage später geboren, auf Peter Elias getauft. Dem Peter Elias half eine mit Wägerin bezeichnete Hebamme aus Altberg zur Welt. Man mag bemerken, daß der Name Elias mit einer gewissen Dringlichkeit wiederkehrt. Das hat folgende Bewandtnis:

Kurat Elias Benzer begriff sich seit jenem pfingstlichen Damaskus-Erlebnis nicht mehr bloß als Hirte, sondern als Vater seiner Eschberger Christenkinder. Freilich muß er den rein spirituellen Gehalt des Wortes Vater mit dem fleischlichen durcheinandergebracht haben, denn in Eschberg gab es in der Folgezeit etliche braunschopfige Kinder, welche, wie es hieß, dem hochwürdigen Herrn Kurat wie aus der Form gestürzt waren. Der Kurat besaß überdies einen fast eitel übertriebenen Hang zur Unsterblichkeit. Er schien zu wissen, daß selbst die zündendsten Worte schnell verlöschen, ein Name aber von weit längerer Dauer ist. So stiftete er das eigentümliche Brauchtum, alle männlichen Ankömmlinge im Zweitnamen Elias zu taufen.

Die Taufhandlung geschah im engsten Familienkreis. Die Alder des Johannes Elias saßen auf der Epistel-, die des Peter Elias auf der Evangelienseite. Der Kurat sprach ein Wort, worin er die Kraft des Wassers mit der Kraft des Feuers verglich. Das Wort währte lang, und es mochte fast scheinen, als trage er eine gewisse Scheu vor dem Taufakt selbst. Wie er endlich den Chrisam auf die krebsroten Stirnen der Knaben zeichnete, fing ihm die Hand so heftig zu zittern an, daß er innehalten mußte, wollte er den Würmlein nicht Weh antun. Da verhing sich der Blick des Kuraten ungewollt im Antlitz der Seffin, und beide erröteten im selbigen Moment auf das Allerpeinlichste. Zum Glück intonierte die Orgel den Taufchoral und zum Glück fing Johannes Elias plötzlich an zu schreien. Er jubilierte, denn er vernahm zum ersten Mal in seinem Leben die Klänge einer Orgel. Er jubilierte über die Entdeckung der Musik.

Seff jedoch, sein Vater, saß eingesunken in der Kirchenbank, den Blick tief in die Knie gebohrt. Als nämlich der Säugling zu schreien angefangen hatte, war wieder dieser Frost über Seff gekommen. Dieser unheimliche Frost, der ihm vom Nacken über den Rükken zog und vor zum Bauch bis hinunter in die Hoden. «Gottverreckt mit dem Bub ist etwas falsch! Die Stimm'!» dachte Seff und preßte die Ohren zu, daß ihm die Adern aus den Händen quollen.

Peter Elias aber, das Kind des Nulf Alder, schrie nicht. Wir meinen darin bereits einen vorgeformten Wesenszug seines späteren Charakters zu erblicken, denn Peter Elias hat nie geschrien und geflennt. Nur einmal, und davon wird später noch ausführlich die Rede sein.

Drei Tage darauf kam der Kurat Elias Benzer auf grausige Weise zu Tode. Er war hinaufgestiegen in die Eschberger Wälder bis hinauf zum Plateau, das Petrifels genannt wird. Er habe, mutmaßte man, frühen Holder pflücken wollen, ein fahles Bastkörbchen wurde in seiner Nähe gefunden. Jedenfalls muß er elendiglich über den Felsen gestürzt sein, denn man fand seinen Leib völlig entstellt im Geröll liegen, die Oberschenkel bis zum Knie in den Rumpf getrieben. Der weiße bare Knochen des linken Oberschenkels stand eine Elle weit ab.

Das Gerücht des Selbstmords hielt sich hartnäckig. Die Taufmatrik des Seffschen Knaben zeigt eine zitternde, nahezu unleserliche Handschrift, während die Matrik des anderen mit der gewohnt überschwenglichen Feder geführt ist, womit allein das und mehr nicht gesagt ist.

Das Wunder seines Hörens

DEN ganzen Nachmittag schwappte der Nebel vom Rheintalischen herauf und herein in den Weiler Hof, wo das Anwesen des Seff Alder lag. Der Nebel gefror in den Wäldern, zog eisige Fäden von den Zweigen und beschlug die Rinde der Tannen südseitig. An diesem Nachmittag lagen sich Mond und Sonne gegenüber. Der Mond eine zerbrochene Hostie, die Sonne die Wange der Mutter. Das Kind stand auf dem Schemel am Fenster des Bubengadens, das die Seffin jetzt doppelt verriegelte, indem sie zwischen Griff und Stock ein Holzscheit sperrte. Elias stand und stierte hinab zum Waldrand, dahinter die Emmer floß. Sein Gemüt wurde ihm elend. Er müsse hinunter.

In der Nacht erwachte das Kind vom bloßen Klang der niedergehenden Schneeflocken. Irr vor Freude sprang es zum Fenster, schob es auf und blieb dort unersättlich lauschend bis zum Morgengrauen. In jener Zeit schlief sein Bruder Fritz schon nicht mehr bei ihm. Die Eltern hatten den Fritz in ihre Kammer genommen, ihn vor dem verwunschenen Kind zu schützen. Als am Morgen die Seffin das Kind entdeckte, hatte es eine schweißglühende Stirn, und in der Folge lag es zehn Tage hochfiebrig zu Bett, jedoch von einer unerklärlichen Fröhlichkeit, denn es sang den halben Tag alle Lieder der Kirche im Jahreskreis.

Damals verstand das Kind wenig. Es begriff nicht, weshalb es schweigen mußte, wenn ein Fremder ins Haus trat, wo doch der Bruder immer dabei sein durfte. Begriff nicht, weshalb die Mutter nicht bei ihm wachen wollte, bis daß jener herrliche Klang der Schneeflocken wiederkäme. Begriff auch nicht, weshalb es ihre Ohrläppchen nicht greifen durfte, wenn es einschlafen wollte. Als sie ihm sogar das Singen verbieten wollte, begann das Kind so herzzerreißend zu flennen, daß sie schließlich doch einwilligte und es ihm wenigstens zur Nachtzeit erlaubte.

An dieser Stelle müssen wir das Geheimnis dieses Kindes eröffnen, weil das sonderbare Verhalten der Seffin sonst unerklärlich bliebe. Elias hatte die gläserne Stimme, das Wort stammte vom Onkel Oskar Alder, dem Organisten und Lehrer von Eschberg. Das Phänomen dieser eigentümlichen Stimme läßt sich medizinisch nicht erhellen, es rührt von Geburt her. Wenn das Kind zu reden anhob, tönte aus dem Mund ein einziges, hohes Pfeifen. Die Stimme verfügte über keine eigentliche Sprechmelodie, sie modulierte nicht, sondern pfiff als ewig gehaltener Ton. Dieser Umstand hatte bei der Taufe den Seff frösteln gemacht, denn er wähnte damals den Makel endgültig geworden. Er verlor darüber kein einziges Wort, wie sein Mund überhaupt wenig Worte verlor.

An diesem Nachmittag, an welchem sich Sonne und

Mond gegenüberlagen, stahl sich der fünfjährige Elias aus dem Bubengaden. Etwas rief. Er mußte hinunter.

Niemand sorgte sich um Elias. Man sorgte sich in Eschberg überhaupt nicht um seine Kinder. Als bei einem fürchterlichen Wetterschlag ein Aldersches im braun stürzenden Wasser der Emmer ertrunken war, schlich sich die Mutter mit den Worten aus der Sache, daß bisher noch jedes den Weg von selbst heimgefunden, und daß halt der Herrgott dem armen Göblein die Stunde aufgesetzt habe. Einige Tage nach jenem Unwetter begann Seff das Schwemmholz der Emmer auszurichten. Dieses Recht stand den Bauern seit Jahrhunderten an. Was einer an Schwemmholz ausrichten konnte, gehörte ihm, war Freiholz. Das Ausrichten des Holzes war aber stetiger Anlaß zu Streitereien und blutigen Händeln, denn es mochte durchaus geschehen, daß mutwillig eine fette Tanne vom Waldstück des Nachbarn mitfiel und hartnäckig als Schwemmholz ausgegeben wurde.

Anläßlich dieser Ausforstung der Emmer durfte Elias den Vater begleiten. Und dort entdeckte das Kind jenen Ort, genauer gesagt jenen wasserverschliffenen Stein, der ihn auf so unheimliche Art und Weise anzog. Seff war damals aufgefallen, wie das Kind beim Sanden und Schlammen plötzlich innehielt, das Köpfchen nervös von der einen auf die andere Seite warf, als müßte es angestrengt zuhören. Dann stieg und kletterte das Kind gehetzt durchs Unterholz, als würde es von einer unbekannten Macht gerufen. Wie es schließlich alles ihm Erreichbare an Mund und Ohren führte, Schlamm, Kiesel, Käfer, Salamander, Gräser und faulende Blätter, rief Seff es beim Namen, ihm zu bedeuten, daß es ja nicht allein in dieser Wildnis sei. Daraufhin erschrak das Kind so entsetzlich, daß es laut zu weinen anfing und sich lange nicht mehr trösten lassen wollte. Auch wich es keinen Fußbreit mehr von einem bestimmten Steinvorsprung, und Seff mußte den Jungen mit Gewalt vom Stein zerren und unter seinen Arm zwingen. Aufgrund dieser Beobachtung dürfen wir behaupten, daß das Wunder den Elias nicht wie ein Blitz aus offenem Himmel getroffen hat, sondern sich mählich, ja beinahe menschlich ankündigte.

Der Stein rief. Elias mußte hinunter. Er stahl sich die Stiege hinab und durch die Tenne hinaus in den dampfenden Kuhstall. Von dort nahm er den Pfad, den kein Fenster des Hauses zeigte. Trotzdem rannte er das erste Wegstück, rannte so lange, bis er wußte, daß man den Hof nicht mehr ausmachen konnte. Er tat einen Pfiff vor Freude, purzelte und schlug den Weiler hinab zum Bachbett der Emmer. Aber Seff, der im angrenzenden Weiler Mist austrieb, sah ihn. Sah das luftige Pünktchen Mensch im großen Weiß des Feldes. Sah, wie es im Zickzack hinterm Waldrand verschwand. Seff schremmte die Mistgabel in den gefrorenen Boden, trichterte die Hände an den Mund, wollte dem Sohn zujuchzen, ließ aber davon ab. Er wollte das Kind in seiner fröhlichen Einsamkeit nicht stören. Seff blickte glasig auf jenen Waldschatten, dahinter der Bub verschwunden war. Dann nahm er die Gabel wieder zur Hand und stieß sie kraftvoll, ja wütend in den rauchenden Misthaufen. «Gottverreckt mit dem Bub ist etwas falsch!» und die Klatter flog weiter hinab als alle anderen.

Da ging es, das sonderbare Kind, stapfte durch die nebelverfrorene Landschaft. Es wanderte eine halbe Stunde oder mehr, umkletterte geschickt den ersten Wasserfall, dann den zweiten. Auf seiner Wanderung mußte es oft innehalten, weil es sich nicht satt hören konnte am sirrenden Ton der Eisflocken, die allerorten von den Zweigen rieselten. Ausgelassen vor Übermut spitzte Elias die schweren, sperrigen Lederschuhe in den gefrorenen Schnee. Und der Harsch wirbelte in tausend Funken auseinander, wisperte und zirpte in so mannigfaltigen Klängen, wie solches Elias zuvor noch nie gehört hatte. Selbst der wunderliche Klang der Schneeflocken jener Nacht war nichts mehr im Vergleich mit diesem grandiosen Konzert.

Weiter schuhte Elias, immer weiter. Er raffte sein Höschen, zog die Nase hoch und den Filzhut des Vaters tiefer ins Gesicht. Den Hut hatte er einst an sich genommen und wollte ihn nicht mehr wieder herausgeben. In schweren Nächten nahm er ihn dann aus dem Laubsack und roch so lange daran, bis er getröstet war. Er roch den kalten Schweiß, das Haupthaar, den Geruch des Viehs – es war der Stallhut des Vaters.

Je näher Elias zum wasserverschliffenen Stein kam, je unruhiger ging sein Herzschlagen. Es war ihm, als würde allmählich das Geräusch seiner Schritte, sein Atem, das Wispern des Harsches, das Ächzen im Waldholz, das Raunen des Wassers unter dem Eis der Emmer, ja als würde alles um ihn herum anschwellen und immer lauter und mächtiger tönen. Als Elias endlich den Steinvorsprung erklettert hatte, hörte er, daß von seinem Herzen ein Donner ausging. Er muß etwas von dem Kommenden geahnt haben, denn er fing plötzlich an zu singen. Dann geschah das Wunder. An diesem Nachmittag hörte der fünfjährige Elias das Universum tönen.

Weil ihn wieder am Kopf fror, langte er nach dem Hut, ihn noch tiefer ins Gesicht zu ziehen. Davon entstand ein so gewaltiger Knall in den Ohren, daß er verschockt vom Steinvorsprung rutschte und rücklings in den Schnee fiel. Was er als letztes von der Wirklichkeit sah, war ein Büschel blonder, blutiger Haare. Während er stürzte, vervielfachte sich sein Gehör.

Der kleine Körper fing an, sich zu verändern. Jäh traten die Augäpfel aus ihren Höhlen, ja stülpten sich über die Lider und dehnten sich bis unter die Augenbrauen. Und der Flaum seiner Brauen verklebte sich auf der tränenden Netzhaut. Die Pupillen flossen auseinander und quollen über das gesamte Weiß der Iris. Ihre natürliche Farbe, das melancholische Regengrün verschwand, und es trat ein gleißend ekelhaftes Gelb an ihre Stelle. Der Nacken des Kindes versteifte, und sein Hinterkopf bohrte sich schmerzlich in den harten Schnee. Dann bäumte sich das Rückgrat, der Bauch blähte auf, der Nabel wurde hart wie Horn, und Blut sickerte aus der längst verwachsenen Haut des Nabels. Das Gesicht des Kindes aber bot einen derart entsetzlichen Anblick, als lägen alle je gehörten Wehschreie des Menschen und der Kreatur in ihm eingegraben. Die Kiefer traten hervor, die Lippen verkümmerten auf zwei dünne, blutleere Striche. Nach der Reihe fielen dem Kind die Zähne ein, denn das Zahnfleisch schwand, und es ist unerklärlich, weshalb Elias nicht daran erstickt ist. Dann, ungeheuerlich, wurde ihm das Gliedchen stämmig, und das frühe Sperma rann mit Urin und dem Blut des Nabels in einem dünnen Rinnsal warm die Leistenbeugen hinab. Während des ganzen Geschehens verlor das Kind alle Exkremente des Körpers, vom Schweiß bis zum Kot in ungewöhnlich großen Mengen.

Was es dann hörte, war der schwarze Donner, der von seinem Herzen kam. Ein Donner heute, ein Donner morgen. Das will heißen, daß ihm die Empfindung der Zeit abhanden ging. Darum können wir nicht bestimmen, wie lange Elias wirklich im Schnee gelegen hat. Nach menschlichem Ermessen vielleicht einige Minuten, nach göttlichem wohl eine Zeit von Jahren, wie ein merkwürdiger Umstand noch erhellen wird.

Geräusche, Laute, Klänge und Töne taten sich auf, die er bis dahin in dieser Klarheit noch nie gehört hatte. Elias hörte nicht bloß, er sah das Tönen. Sah, wie sich die Luft unaufhörlich verdichtete und wieder dehnte. Sah in die Täler der Klänge und sah in ihre gigantischen Gebirge. Er sah das Summen seines eigenen Bluts, das Knistern der Haarbüschel in den Fäustchen. Und der Atem schnitt die Nasenflügel in derart gellenden Pfiffen, daß sich eine föhnartige Sturmesbö wie ein Säuseln dagegen ausgenommen hätte. Die Säfte des Magens gluckste und klackten schwer ineinander. Es gurrte in den Eingeweiden von einer unbeschreiblichen Vielfalt. Gase dehnten sich, zischten oder knallten auseinander, die Substanz seiner Knochen vibrierte, und selbst das Augenwasser zitterte vom dunklen Schlagen seines Herzens.

Und abermals vervielfältigte sich sein Gehörkreis, explodierte und stülpte sich gleichsam als ein riesenhaftes Ohr über den Flecken, auf dem er lag. Horchte hinunter in hundert Meilen tiefe Landschaften, horchte hinaus in hundert Meilen weite Gegenden. Über die Klangkulisse der eigenen Körpergeräusche zogen mit wachsender Geschwindigkeit um vieles gewaltigere Klangszenarien. Szenarien von ungehörter Pracht und Fürchterlichkeit. Klangwetter, Klangstürme, Klangmeere und Klangwüsten.

Mit einem Mal erkannte Elias in dieser unheimlichen Geräuschmasse das Herzschlagen seines Vaters. Doch das Herz des Vaters schlug so unrhythmisch, so ohne Abstimmung und Gleichklang in sein eigenes, daß Elias, hätte er alle Sinne beisammen gehabt, verzweifelt wäre. Aber Gott in seiner unendlichen Grausamkeit hörte nicht auf zu zeigen.

In Strömen unvorstellbaren Ausmaßes prasselten die Wetter des Klanges und der Geräusche auf die Ohren des Elias nieder. Ein irres Durcheinander von Hunderten von Herzen hub an, ein Splittern von Knochen, ein Singen und Summen vom Blut ungezählter Adern, ein trockenes sprödes Kratzen, wenn sich Lippen schlossen, ein Brechen und Krachen zwischen den Zähnen, ein unglaubliches Getöne vom Schlucken, Gurgeln, Husten, Speuzen, Rotzen und Rülpsen, ein Glucksen von gallertigen Magensäften, ein lautes Platschen von Urin, ein Rauschen von Haupthaar und das noch wildere Rauschen vom Haar der Tierfelle, ein dumpfes Schaben von Textilien auf Menschenhäuten, ein dünnes Singen, wenn Schweißtropfen verdampften, ein Gewetze von Muskeln, ein Geschrei von Blut, wenn Glieder von Tieren und Menschen stämmig wurden. Nicht zu reden vom wahnhaften Chaos der Stimmen und Laute des Menschen und aller Kreatur auf und unter der Erde.

Und tiefer ging sein Ohr, hinein in alles Geschrei, Geschwatze, Gekeife, in alles Reden und Flüstern, Singen und Stöhnen, Grölen und Johlen, Flennen und Schluchzen, Seufzen und Keuchen, Schlürfen und Schmatzen, ja hinein in das plötzliche Schweigen, wo in Wahrheit die Stimmbänder noch vom Klang der eben gesagten Worte heftig vibrierten. Ja selbst das Dröhnen der Gedanken blieb dem Kind nicht unerhört. Immerfort verpotenzierte sich sein Gehörkreis und wurde immer pittoreskerer Klänge ansichtig.

Dann das unbeschreibliche Konzert von Geräuschen und Lauten aller Tiere und aller Natur und die nicht enden wollende Zahl der Solisten darin. Das Muhen und Blöken, das Schnauben und Wiehern, das Gerassel von Halfterketten, das Lecken und Zungengewetze an Salzsteinen, das Klatschen der Schwänze, das Grunzen und Rollen, das Furzen und Blähen, das Quieken und Piepsen, das Miauen und das Gebell, das Gackern und Krähen, das Zwitschern und Flügelschlagen, das Nagen und Picken, das Grabschen und Scharren …

Und er sah noch tiefer und noch weiter. Sah das Getier des Meeres, den Gesang von Delphinen, den gigantischen Wehklang sterbender Wale, die Akkorde riesiger Fischschwärme, das Klicken des Planktons, das Zirbeln, wenn Fische ihren Laich absetzen, sah das Hallen von Wasserfluten, das Zerschellen unterirdischen Gebirgs, das gleißende Gellen der Lavaströme, den Gesang der Gezeiten, die Meeresgischt, das Surren der tausend Zentner Wassers, das die Sonne aufsog, das Raunen, Krachen und Bersten gigantischer Wolkenchöre, den Schall des Lichtes … Was sind Worte!

Von einem letzten Klang ist zu berichten, einem Klang von so filigraner Gestalt, daß er doch in all dem Rumor des Universums hätte untergehen müssen. Aber der Klang blieb und ging nicht unter. Er drang her von Eschberg. Es war das weiche Herzschlagen eines ungeborenen Kindes, eines Fötus, eines weiblichen Menschen. Was Elias gehört und geschaut hatte, vergaß er, aber den Klang des ungeborenen Herzens nicht mehr. Denn es war das Herzschlagen jenes Menschen, der ihm seit Ewigkeit vorbestimmt war. Es war das Herz seiner Geliebten. Unglaublich ist es, daß Elias diesen Gewaltakt überlebt hat und unglaublich, daß er nicht irrsinnig geworden ist davon.

Nach menschlichem Ermessen hätte das Kind auf

der Stelle ertauben müssen. Es ist drum ungeheuerlich, daß sein Gehör nicht den geringsten Schaden gelitten hat, jedenfalls finden wir keine späteren Anzeichen, die darauf hindeuten möchten. Gott, wie es schien, war noch nicht fertig mit ihm. Gott war noch lange nicht fertig mit ihm.

Nach dem furchtbaren Hörerlebnis traten die Deformationen am Leib des Kindes zurück. Die Augäpfel schwanden auf ihre ursprüngliche Größe, das Rückgrat glättete sich, die Verkrampfungen der Glieder entspannten. Desgleichen schrumpften die so schrecklich ausgetretenen Kiefer. Aber das gleißende Gelb der Pupillen färbte sich nicht mehr in jenes melancholische Regengrün. Vom Hinterkopf war das Haar in großen Büscheln abgefallen, und die Zähne hatte es allesamt verloren. Der Makel währte aber nicht lang, denn bald zahnte der Mund, und die Zweiten wuchsen dem Kind überfrüh. Neben dem gespenstischen Gelb der Pupillen zeigten sich weitere, nicht minder gespenstische Veränderungen.

Die gläserne Stimme hatte mutiert. Sie war angeschwollen, hatte an Umfang und Volumen gleichermaßen zugenommen. Das Organ des Kindes hatte sich zu einer volltönigen Baßstimme entwickelt. Diese merkwürdige Stimme erregte im Dorf ein so breites Aufsehen, daß die Eltern vor lauter Scham beschlossen, den Elias im Gaden einzusperren und ihn hinkünftig zu halten wie einen Fallsüchtigen. Eine andere Veränderung zeigte sich darin, daß ihm an den Schläfen, auf der Oberlippe, am Kinn, in den Achselgruben und auf dem Geschlecht ein dünner Haarflaum gewachsen war. Der Körper des Elias Alder hatte pubertiert.

Unerklärlich bleibt ferner, wie das Kind überhaupt noch heimgefunden hat. Die Haintzin, die an diesem

Dezembernachmittag auf ein Schwätzchen in das Haus des Alder Seff gekommen war, sah es zuerst. In der Küche dampfte es vom Grieß, den die Seffin zum Nachtmahl vorkochte. Sie stand beim Herd und störte mit der Kelle den Brei. Ja, auf diesem Buben liege Gottes Fluch, das leuchte ihr von Tag zu Tag klarer. Die Haintzin nickte den klotzigen Kopf und wischte gelangweilt mit ihrer gichtigen Hand den Beschlag von der Fensterscheibe. Zwar habe sie, fuhr die Seffin fort, etwas Unbestimmtes geahnt, als sie das Kind ausgetragen, habe jedoch gemeint, es seien nur Hirngespinste.

Plötzlich schrie die Haintzin kehlig auf: «Mein Gott und mein Herr! Der nackige Bub, der nackige Bub liegt draußen im Schnee!»

Die Pfanne schepperte zu Boden, die Tür riß auf, ein Holzschlapfen blieb auf der Schwelle liegen. Die Seffin stolperte über den Schnee hinunter und barg ihr Kind mit entsetzten Armen, drückte es so fest an ihren Körper, daß es kaum mehr zu Atem kam. Sie trug es in die Küche zurück, legte es auf den blanken Holztisch, es dort anzukleiden. Als die beiden Weiber den Elias so daliegen sahen, stieg ihnen die Schamesröte ins Angesicht, denn sie gewahrten, daß sein Gliedchen angeschwollen war. Erschrocken stürzte die Seffin nach dem Waschzuber, zog eine Windel hervor, wandte den Buben eiligst ab vom glasigen Blick der Haintzin, wollte ihn wickeln, aber drückte ihm das Geschlecht so fest vom Bauch weg, daß Elias irr vor Schmerzen aufheulte.

«Mein Gott und mein Herr! Was ist das für eine Stimm'! Wie das Röhren eines Hirsches!» bekreuzigte sich die Haintzin und hub sich entgeistert davon.

Freilich, sie verließ den Hof nicht ohne das hochheilige Versprechen, keinem ein Sterbenswörtchen von dem Vorfall zu erzählen, weshalb denn auch am Sonntag jedermann neugierig auf die Alderschen Eheleute schielte. Einige Weiber mochten in Gedanken fast hoffärtig werden, hatten sie ihren Gatten ja nur ein Mongoloides geboren und nicht einen Teufel mit Augen gelb wie Kuhseiche.

Ein anderes Weib aber, die Nulfin, die im fünften Monat schwanger ging, legte ihr Gebetbüchlein auf den Bauch und tat ein Gelübde. Wenn es ein an Leib und Seele Gesundes würde, schwur sie der Muttergottes, wolle sie an ihrem Altar monatlich einen Blumenstrauß aufstellen, solange sie, Virgina Alder, lebe.

Die Seffin hat sich später bittere Vorwürfe gemacht, hat sich laut vor ihrem Mann angeklagt, wie es nur geschehen konnte, daß ihr die unzüchtige Gebärde am Körper des Buben nicht schon im Schnee aufgefallen war. So hätte niemand davon erfahren, und das Haar und die Zähne seien ihm ja schnell nachgekommen. Aber es nützte nichts. Elias wurde zum vielbetuschelten Rätsel von Eschberg.

In den ersten Nächten schliefen Seff und sein Weib nicht im Elterngaden, sondern in der Tenne, droben auf dem Heustock. Den Fritz betteten sie zwischen sich. In dieser Zeit lag die Seffin wach bis in den frühen Morgen, und ihre Gedanken scharten sich immer beengender um das vermeintlich besessene Kind. Als sie ihrem Seff riet, es möchte durchaus eine Pfette vom morschen Dachgebälk zufällig auf den Jungen niederstürzen, oder das Kind könnte unglücklicherweise in der Emmer ertrinken, oder eine läufige Kuh möchte es zu Tode hornen, da schlug Seff ihr die Faust so gewaltig ins gottverreckte Maul, daß die Kinnlade auskegelte. Von da an wurde zwangsläufig nichts mehr über den Jungen geredet, und als die Seffin wieder sprechen konnte, hatte sie den Mut am Leben verloren. Doch sie gab die Hoffnung auf eine Besserung der Zustände nicht auf, wovon im kommenden Kapitel zu erzählen ist.

Die Gadenzeit

NACHDEM Gott den Elias auf so wunder- wie grausame Weise hörend gemacht hatte, wurde es in dem Jungen still. Allein um den Jungen wurde es nicht still. Darum versteckten die Alderschen Eheleute ihn ängstlich vor dem Zugriff der Öffentlichkeit, kerkerten ihn unter Maulschellen, Ohrfeigen und Stockhieben in seinen Gaden, den er ungefragt nicht mehr verlassen durfte.

In den sonst stillen Hof des Seff Alder kam Leben. Alle nur erdenklichen Verwandten – das waren nahezu alle Eschberger – befanden auf einmal, es sei endlich wieder an der Zeit, die Lieben im Weiler Hof zu besuchen. So kamen sie unter den hinterfotzigsten Vorwänden ins Haus, zeigten gespieltes Interesse am Gedeih des Viehs, lobten eindringlich den sauberen Stall und daß keine Kuh auf ihrer Klatter liegen müsse, schnupperten angetan an dem so auffallend trockenen Heu, tranken übermäßig vom aufgetischten Most, priesen laut die so ungewöhnlich saubere Küche der Seffin und frugen endlich allesamt nach dem Befinden des lieben und ach so bedauernswerten Kindleins. So hofften sie, den Kretin zu Gesicht zu bekommen, aber Seff und sein Weib antworteten monoton: «Der Gob ist marod, hat Fleckenfieber.»

Späteren Besuchern fiel auf, daß der würzige Most nicht mehr aufgetischt wurde, und daß der Bub jetzt schon über das gewohnte Maß hinaus im Scharlach liege. Als gar Nulf Alder, der Todfeind, die Hausschwelle betrat, riß dem armen Seff der Geduldsfaden. Er packte den Bruder bei den Schultern und stopfte ihn in ein Schneeloch. Niemand bekam den Jungen zu Gesicht.

Das bewog eine Handvoll Eschberger Kinder – aufgewühlt durch die geheimnisvollen Mutmaßungen der Alten – nach der Christenlehre einmal zum verwunschenen Hof zu schleichen. Das Fenster des Bubengadens hatte man schon früher ausfindig gemacht. Dorthin zogen sie nun und verhöhnten den Elias ob seiner Augen, gelb wie Kuhseiche. Er solle sich doch am Fenster zeigen und ihnen das Kunststück seiner Stimme vorführen. Elias hatte ihr Kreischen schon vernommen, als sie vom Kurateihaus herüber tänzelten. Er zog den Laubsack ins Gesicht, wollte schweigend warten, bis daß der Spuk vorüber wäre. So sehr er die Hände gegen die Ohren stemmte, es half nicht. Als die Beschimpfungen nicht enden wollten und eines ihn laut Gelbteufel schalt, hielt es ihn nicht mehr. Er sprang ans Fenster, riß es auf und stieß einen derart brüllenden Schrei hinab auf die Köpfe, daß auf der Stelle alles in heulender Angst davonstob. Noch tagelang flennten die Kinder davon, daß ihnen der Gelbseich wahrhaftig erschienen sei.

Ein Kind jedoch blieb ruhig unterm Fenster stehen. Es hieß Peter Elias und war der Sohn des Nulf Alder. Wir sind ihm schon begegnet, denn es wurde mit unserem Elias getauft. Peter stand und rührte sich nicht mehr von der Stelle. Nicht, weil er unter Schock stand, keineswegs. Peter blieb aus einer plötzlich erwachten kalten Faszination an dem so Andersgearteten. Und er hörte, wie der da oben in ein lautes Weinen ausbrach. So herzzerreißend weinte Elias in den Frühlingsabend hinaus, daß die jungen Bündtgräser traurig niederwogten und das Rauschen vom nahen Wald herüberdrang wie ein Schluchzen. Aber Peter empfand keine Rührung. Er stand mit offenem Mund, und seine Augen stachen kalt in den da oben. Von diesem Tag an suchte Peter die Freundschaft des Elias zu gewinnen. Anfänglich stand er jeden Abend unterm Gaden. Dann kam er seltener, aber mit einer beharrlichen Beständigkeit. Er brauchte nicht zu pfeifen, sich nicht durch Käuzchenrufe bemerkbar zu machen. Elias erwartete ihn.

Wir dürfen behaupten, daß Peter der einzige Mensch im Leben des Elias Alder gewesen ist, der das Genie dieses Menschen erkannte. Er ahnte, daß dem Elias Großartiges gegeben war. Und weil er diese Ahnung sein Lebtag nicht mehr loswerden konnte, trachtete er, den Elias niederzuhalten. Und Elias gehorchte dem Freund fast willenlos. Gehorchte aus naiver Dankbarkeit dafür, daß ihn ein Mensch in den bittersten Stunden seines Lebens nicht im Stich gelassen hatte. Elias liebte den Peter.

Zwischenzeitlich unterließ die Seffin alles, was einer günstigen Entwicklung ihres frühreifen Jungen hätte förderlich sein können. Sie sprach nicht mit ihm, stellte die Suppe vor die Gadentür, wie man einer Katze die Milch hinstellt. Anfänglich vermied sie jede Berührung aus Angst, sich am Gelbfieber seiner Augen anzustecken. Zärtlichkeit, ein solches oder ähnlich lautendes Wort, war ihr und den meisten Eschberger Weibern unbekannt. Auch trug sie immer weniger Sorge um seine Reinlichkeit, weshalb es schließlich dahin kam, daß Elias verdreckte und verlauste. Üblicherweise wusch sie ihre Kinder samstäglich, und ihr Traum als junges Mädchen war es gewesen, die Kleinen dereinst mit den glanzigsten Näschen und saubersten Kräglein dem Kirchenvolk zu präsentieren. So etwas auch nur geträumt zu haben, stellte sie jetzt energisch in Abrede. Die Seffin ließ sich gehen. Sie verrohte, und daß ihre Küche so ungewöhnlich sauber gewesen sein soll, stimmte natürlich mit keinem Wort.

Einmal noch schöpfte sie Hoffnung, raffte sich auf aus ihrer lebensmüden Apathie und sang wieder die Lieder ihrer Mädchenzeit. Die Hoffnung währte nur einige Tage. Geschürt hatte sie die Haintzin, des blinden Mesmers Weib. Die Haintzin riet ihr, es beim Jungen mit verschiedentlichen Abreibungen, Aufgüssen und Umschlägen zu probieren. Die Idee sei ihr gekommen, schnaufte sie, wie sie nichtsdenkend in den grünen Maimorgen geblinzelt habe. Grün, überall Grün, habe sie gedacht. Es müsse doch möglich sein, etwas von diesem Grün dem Elias zurückzugeben, und sie wisse auch schon wie.

Man versuchte es zuerst mit den Blättern des Löwenzahns, befeuchtete sie mit Speuz und klatschte sie dann auf die geschlossenen Lider des Kindes. Elias durfte sich den ganzen Nachmittag nicht ein Rückchen von der Stelle rühren. Am Abend löste man die erlahmten Blätter in der Erwartung, ein herrliches Löwenzahngrün in den Pupillen vorzufinden. Allein die Kerze leuchtete neidisch hinein in ein Gelb, das ihr eigenes Gelb verblassen machte.

Am nächsten Tag ging man früh ans Werk, streifte den halben Vormittag über die Bündten, sammelte Schürzen von Kräutern und überhaupt alles, das sich durch ein veritables Grün auszeichnete. Gar die Jährlinge der Rottannen, die man sonst zu Honig verkochte, brockten die emsigen Weiber. Die Haintzin riet, es mit den Jährlingen zuerst zu versuchen. Das führte allerdings zu dem Ergebnis, daß, nachdem die Trieblinge in siedendem Wasser gesotten und man das Wasser auf die Lider geträufelt hatte, der arme Elias schwere Verbrühungen davontrug. Kaum war der Elende genesen, ersann die Haintzin eine neue Methode, das Grün der Pupillen herbeizuführen.

Die Idee sei ihr gekommen, wie sie nichtsdenkend das Abendgras für ihr Vieh gesenst habe. Da es sich um ein innerliches Siechtum handle, könne man – Mein Gott und mein Herr, daß ihr das erst jetzt aufgehe! – selbiges auch nur innerlich behandeln. Also nahm sie einen Suppenteller und rieb etwas Birken- und Weißbuchenrinde hinein, vermengte die Rinde mit Faltrianblättern, Schmerwurz, Seidelbast und Türkenbund und träufelte zwei Löffel Erstmilch einer frischgekalbten Kuh hinein. Das Ergebnis führte diesmal zu einem nachtlangen Magenkrampf, und als sich die Weiber anschickten, es mit einer abermals neuen Kur zu versuchen, schmetterte sie der Bub mit einem lauten, bösen Röhren aus dem Gaden. Es blieb der Haintzin versagt, das melancholische Regengrün seiner Augen wieder zum Leuchten zu bringen und sie kehrte von da an nur noch selten bei ihrer Freundin ein. Es gebe, entschuldigte sie sich, neuerdings so viel Arbeit und eine Kalberei nach der anderen auf ihrem Hof.

Zwei Winter lebte Elias im Gaden eingesperrt. Hie und da kam Peter, stand schweigend unterm Fenster, stierte hinauf und ging wieder. Nulf, der Vater, Seffs Bruder und Todfeind, vermochte ihm diese Besuche nicht auszutreiben, nicht einmal durch blutige Prügel.

Peter kam, schwieg und ging wieder. Die Jungen sprachen kaum drei Worte miteinander. Aber die eigenwillige Treue des Peter bewirkte, daß Elias Zutrauen zu ihm fand.

Der Weiße Sonntag kam. Elias hätte schon vor einem Jahr kommunizieren sollen, doch hatte die Mutter beim Kuraten eine Verschiebung erwirkt. Der Junge sei ganz unerwartet an einer schmerzvollen Gliedersucht erkrankt, log die Seffin, und derzeit plage ihn eine misteriose Schmalbrüstigkeit, gepaart mit fürchterlichem Kopfgrimmen. Man solle die Kommunion um abermals ein Jahr verschieben. Das mochte der Kurat Friedolin Beuerlein nun nicht mehr glauben und betrat festen Entschlusses den Hof des Seff Alder. Kurat Beuerlein war ein gutmütiger, dürrer und sehr langnasiger Herr. Als nach ruhigem Zureden sich die Eheleute noch immer nicht bereitfanden, den Elias kommunizieren zu lassen, tat der Kurat einige für ihn ungewohnt harte Worte und fing an, den viehischen Starrsinn der Eltern aufs heftigste zu tadeln. Seff und sein Weib blieben stur. Erst als der Kurat alle nur erdenklichen Höllenqualen für eine derartige Todsünde ins Treffen führte, willigte Seff ein. Sein Weib nicht. Es sei ihr gleichviel, bockte sie, wenn sie in der Hölle auf einer Lanze aufgestochen dahinschmore. Der Bub gehe nicht zur Kommunion.

Ohne den Hergang der Kommunion im einzelnen auszubreiten (das Gaffen und Halsgerenke, das jähe Verstummen des Kirchenvolks, als das Kind im Baß zu singen anhob), wollen wir dennoch festhalten, daß kein Kommunikant so fromm und lauter das Jesulein in sein Herzkämmerchen treten ließ als unser Elias Alder. Beim anschließenden Mahl im Gasthaus zum Waidmann war der Bub aber schon wieder verschwunden, und für die Zukunft hielt es die Seffin so, daß er zwar die Messe besuchen, jedoch die Kirche erst beim zweiten Kyrie betreten und noch vor dem Segen des Kuraten wieder zu verlassen hatte. Als Platz wies sie ihm die hinterste Bank der Epistelseite, dort, wo die tabakkäuenden Greise ihr Sonntagsnickerchen zu halten geruhten.

Wir richten unsere Augen wieder auf die Mutter unseres Helden, von der wir sagten, daß sie aufgrund ihres abnormen Kindes den Lebensmut verloren hatte. Diese Behauptung soll durch eine Episode untermauert werden, die sich am Festo Trinitatis desselbigen Jahres zutrug.

Am Festo Trinitatis wurde Kirchweih abgehalten, und das Fest endete zumeist in wüsten Händeln, gegenseitigen Beschimpfungen und durchaus blutigen Scharmützeln. An keinem anderen Tag des Jahres traf sich die ganze Bauernschar auf einem einzigen Flecken versammelt, nämlich auf der Bündt vor dem Kirchlein. Und an keinem Tag trank man so wüst in sich hinein als eben am Kirchweihtag, denn es gab Kirschgeist umsonst.

Das Fest begann mit einem Amt im Freien. Den Altarbezirk umgab ein lieblich gesteckter Blumenteppich aus Margeriten- und Löwenzahnblüten. In den Teppich waren die beiden Worte AVE MARIA gewirkt worden, doch hatte sich nachts eine Kuh in der Kirchenbündt herumgetrieben und nun klebte auf dem Buchstaben «R» eine fette, saftige Klatter. Das betrübte den Kuraten, der ein marianisch geprägter Gottesmann war und als junger Mann sogar der Jünglingskongregation vom Herzen Mariä angehört hatte. Der Kurat versuchte, den Buchstaben wieder herzustellen. Das rochen die Ministranten und hoben bei der

Wasserreichung ihre Nasen wenig demutsvoll von den Händen des Kuraten ab. In allem, es war ein ergreifendes Hochamt, und beim feierlichen Segen mit der Monstranz grölten die Bauern das Tedeum so ausgelassen, als sängen sie schon ein Trink- oder Wanderlied.

Nach dem Amt begann das eigentliche Fest. Der Dorflehrer hatte mit den Kindern eine nimmer endende Ode auf das hochlöbliche Kaiserhaus einstudiert, dessen Verse von einem Mann stammten, der uns später noch des öftern wiederbegegnen wird. Er hieß Köhler Michel, wurde drum Köhler genannt, weil er die Kohlgrub im Weiler Altig befeuerte. Ein jedes Kind durfte zwei Strophen aus dem gewaltigen Poem rezitieren und das Gesagte in einer lebenden Szene darstellen. So auch Elias. Als die Reihe an den Elias kam, zogen etliche Personen bereits weingeistige Grimassen, was den Eklat noch um einiges steigerte. Der Junge trat vor das Publikum – ein Margeritenkränzlein im Haar – und fing an zu rezitieren. Als er mit warmer und hochtheatraler Baßstimme zu reden anhob, brach die Bauernschar in ein so entsetzliches Gelächter aus, daß es bis nach Götzberg hinabschallte. Elias brachte keine Silbe mehr vom Mund und starrte mit weit aufgerissenen Augen in die grelle Menge, die ihrerseits in das grelle Gelb seiner Pupillen starrte. Die Seffin bekam plötzlich Atemnot und brach vor aller Augen zusammen. Elias stand noch immer angewurzt, so lange, bis ihn der Dorflehrer endlich vom Holzgerüst herunterhob. Das chaotische Gebrüll – einige Vornehmtuer schrien TACKAPO! TACKAPO! – beruhigte sich erst, nachdem der hochberühmte Feuerschlucker Signor Foco das Gerüst bestiegen hatte. Während der feurigen Kaskaden des Signor Foco erinnerte man sich scherzend an den Schwefelsonntag des Jahres 1800, wies lachend auf die zweifach gefütterten, eisenverkeilten und zwölfangligen Flügeltüren, und der blinde Haintz Lamparter, der damals sein Augenlicht verloren, bedauerte laut die gute alte Zeit. Seit der Kurat Benzer nicht mehr am Leben, sei in Eschberg einfach nichts mehr los. Er tat einen Seufzer und tappte geduldig nach seinem Schoppen.

In der Folgezeit ging es mit der Agathe Alder, der Seffin, erschreckend bergab. Sie wusch sich nicht mehr, kochte wochenlang nichts anderes als Grießmus, fraß und stopfte das stehengelassene Mus in sich hinein, wurde fettleibig und im Gesicht weiß wie Speck. Ihren Seff mochte sie nicht mehr beschlafen, und als sie «fett wie eine tragende Sau» geworden war – das Wort kam aus dem Mund ihrer einzigen Freundin –, mochte wiederum Seff sie nicht mehr lieben. Dabei war sie erst sechsundzwanzig Jahre alt. Im weiteren gab sie sich rätselhaften Kulten hin, wanderte des Nachts betend und singend durch Eschberg, setzte Kröten brennende Kerzen auf, suhlte sich nackt im Herbstlaub, ließ Mistkäfer über ihren Bauch krabbeln, verstopfte ihre Scham mit Lehm und schnitt sich zuletzt Fleisch aus ihrer linken Wange heraus. Das trug sie dann auf einem Kissen feierlich zum Kirchlein hinüber, breitete die Reliquie auf dem Altar des Hl. Eusebius, welcher angeblich auch ein Stück eigenen Fleisches vom Bresnerberg hinauf zum Viktorsberg getragen haben soll. Dies allerdings mit großer Virtuosität: Es war nämlich sein von Sonntagsschändern abgeschlagenes Haupt. Die Seffin verbrachte Stunde um Stunde kniend vor dem Altar, frug wieder und wieder die ewige Frage, weshalb ihr Gott so ein Kind hatte antun müssen. Wenn er ihr nur ein närrisches – damit meinte sie ein mongoloides – geschenkt hätte, es wäre im Dorf nicht weiter aufgefallen. Bedauerlicherweise ging Jahre später – sie hatte sich vom Kummer längst erholt und zu neuer Lebensfreude gefunden – ausgerechnet dieser fatale Wunsch bei ihrem dritten Kind in Erfüllung. So herzlos es klingen mag, aber das vorübergehende Irrsein der Mutter bedeutete für Elias den Beginn seines Lebens. Man ließ ihn, besser gesagt, er kam frei. Im Alderschen Haus war ohnehin alles einerlei geworden.

Was aber tat Seff, dessen Zuneigung die Seinigen so not gehabt hätten? Denn es geschah, daß Elias sich bitter weinend an seine Brust warf, unfähig, ein Wort zu sprechen, einfach in der Hoffnung, der Vater möchte ihn halten, möchte ihn wortlos trösten.

Seff schwieg.

Und der Bruder Fritz? Wir geben ohne Hehl zu, daß er uns nicht interessiert. Fritz war zeitlebens ein so unbedeutender Mensch, daß wir ihn dem Leser am liebsten überhaupt unterschlagen möchten. Er war von jener Art des vollkommen nichtssagenden Zeitgenossen. Und tatsächlich: Aus dem Mund des Fritz Alder ist uns kein einziges Wort überliefert. Wäre eines überliefert, es interessierte uns nicht.

Das Bild der frühen Jugend unseres Helden ist dunkel. Trotzdem gab es Momente heller Freude, die dem Leser vorzuenthalten unehrenhaft wäre. Eine letzte Episode will davon erzählen, und wir kehren zurück zum Frühjahr 1808, zum Fünfjährigen.

Es war an einem verregneten Aprilvormittag. Etwa um die Mittagszeit stand Elias beim Fenster seines Gadens und konnte beobachten, daß ein fremdes Weib den Dorfweg heraufkeuchte. An den geschulterten Gurten und dem roten Lederkoffer erkannte er sogleich, daß es eine Hebamme war. Elias schob das Fenster auf, wollte sehen, wohin das Weib ginge. Sie war seinem Gesichtskreis schon entschwunden, darum bog er sich gefährlich weit aus dem Fenster und dann sah er, daß sie im Haus des Nulf Alder einkehrte. Etwa eine halbe Stunde später, er lag eben auf seinem Laubsack, schoß ihm ein schneidender Schmerz in den Kopf, und ins Herz ging ein Stich, und der Atem stand ihm plötzlich still.

«Herrgott, Herrgott, was ist das?» wirbelte es durch sein kleines Hirn. «Was ist das?» Das Herz raste. «Was ist das, was ist das?» schrie er tiefkehlig, lachte und weinte gleichermaßen, sprang entsetzt auf, rüttelte an der versperrten Gadentür und hämmerte die Fäustchen gegen das braun verwelkte Wandtäfer. Und Elias rannte den Kopf in die Fensterscheibe und schrie hinab in den Wald, dahinter die Emmer floß. Schrie: «Hör nicht auf Du! Hör nicht auf Du!»

Virgina Alder, die Nulfin, hatte ihrem Mann ein Mädchen geboren. Es war ein an Leib und Seele gesundes. Das Kind sollte auf den Namen Elsbeth getauft werden. Auf dem Seitenaltar der Muttergottes stand von diesem Tag an ein prächtiger Wiesenstrauß. Man kann sich nicht entsinnen, den Strauß jemals verwelkt gesehen zu haben.

Und Elias schluchzte vor Freude. Er jubilierte. Jubilierte an Leib und Seele. Denn er vernahm ein wundersames Pochen, und vom Klang dieses Pochens wurde ihm zumute, als schaute er das Paradies.

«Hör nicht auf Du!» wimmerte das Kind hinab zum Waldrand, dahinter es jenen Klang zum ersten Mal gehört hatte.

Es war Elsbeths Herzschlagen. Es war der Klang der Liebe.

Die Stimme, die Tiere und die Orgel

ZEHN Jahre gelebt und zum Mann gereift. Sein Haar wurde schütter, in den Stirnecken fraß die beginnende Glatze. Weil er aussehen wollte wie alle Jungen seines Alters, versengte er sich die Bartstoppeln mit einer brennenden Kerze in dem Glauben, der Bart möchte nicht wieder sprießen. Das gewaltige Erlebnis im Bachbett der Emmer hatte sein Wachstum durcheinandergebracht. Er hatte das Aussehen und die Stimme eines Mannes, aber die Größe eines zehnjährigen Kindes. Er wollte ein Kind sein, wollte reden können wie ein Kind. Was die Merkwürdigkeit seines äußeren Erscheinens anlangte, so waren ihm Dinge zu Ohren gekommen, die der Verstand nicht begreifen konnte. Daß Elias unverdorben blieb in all dem dörflichen Schmutz von Mutmaßungen, Lügen und Verleumdungen ist allein dem Wesen seines Herzens zuzuschreiben. Es war gut. Es hatte die Kraft zu hoffen.

Doch wird das Sonderliche, wenn es jeden Tag gesehen, zum Alltäglichen, und bald gewöhnte man sich an den Anblick dieses Mannkindes. In der Schulstube fiel es nicht auf, daß zwischen Wasserköpfen, Blatterngesichtern, Mongoloiden und Inzüchtigen ein schmächtiger Mensch mit gelbleuchtenden Augen hockte. In jener Zeit bemerkte der Dorflehrer Oskar Alder, wie elend und mager die Seffschen Buben geworden waren. Ihre Gesichtchen waren eingefallen, das Kinn überspitz geworden, unter den Augen hatten sich schwarzblaue Ringe gebildet. Denn seit Jahr und Tag kochte die Seffin ja nichts anderes als eben ihr liebloses, wäßriges Grießmus. Darum hieß Oskar Alder die Buben eine Zeit in fremde Kost gehen. Als dann die Seffin zur Besinnung gefunden hatte, gediehen auch die Söhne wieder.

Und es geschah, daß den Elias etliche Weiber plötzlich mit lüsternen Augen zu betrachten pflegten; nicht länger nach den gelben Pupillen schielten, sondern nach dem Ort seines übermäßig entwickelten Geschlechts. Elias begriff den Sinn ihrer hellen Worte nicht, begriff nicht das hämmernde Herzschlagen zwischen ihren Brüsten. Er trachtete, diesen Weibern hinfort nicht mehr zu begegnen. Ein Weib vor allen bemühte sich um den kleinen Mann. Es hieß Burga, hauste allein, ihr Versprochener war in einem Franzosen-Scharmützel umgekommen. Die Burga liebte die Menschen und das Leben, darum hatte man sie zur Dorfhure gemacht. Sie stand in übler Nachrede, weil sie am Sonntag nicht zum Amt ging. Die Burga wäre aber gern zum Amt gegangen, hätte sie nicht in der vordersten Kirchenbank, der Ledigenbank, knien müssen. Die Ledigenbank war eine von den übrigen Weiberbänken abgesetzte Prangerbank, ein bloßer Balken ohne Rückenlehne. Dort mußten all jene Mädchen und Weiber knien, welche ein uneheliches Kind zur Welt gebracht hatten. Die Burga aber war eine Abtreiberin, das war dorfbekannt.

Zu jener Zeit beschloß Elias, öffentlich kein lautes Wort mehr zu sprechen. Das furchtbare Erlebnis am Festo Trinitatis verfolgte ihn noch bis hinein in die tiefsten Träume. Er fing an, sich und seine Baßstimme zu hassen. Wenn er aber reden mußte, in der Schule, bei der Christenlehre, dann sprach er ohne Stimmton, hauchte und flüsterte, als litte er an stetiger Heiserkeit. Diese Art zu reden strengte ihn so sehr an, daß er schließlich Kopfgrimmen bekam davon. Darum wurde er nur noch einsilbiger.

In seiner Not ging er eines Tages hinab zur Emmer, wo er wußte, daß ihn kein Ohr hören konnte. Wie das Wasser seinen Lieblingsstein geschliffen hatte, so schliff er jetzt an seiner Stimme. Erst schrie er stundenlang alles hinaus, was es hinauszuschreien galt. Er schrie sich bis zum Rand der Erschöpfung, weil er glaubte, auf diese Weise würde der Baßton von seiner Stimme weggehen, würde letztlich ein heller Knabensopran übrigbleiben. Elias täuschte sich, denn es blieb nur Heiserkeit. Da fing er an zu weinen, ließ die Beine leblos ins Wasser hängen und glarte stumpf hinauf zum Wasserfall. Glarte stumpf in die weiße, lärmende Fontäne, in den unerschöpflich herabstürzenden Bergbach.

Eines Juniabends, zwei Tage vor seinem elften Geburtstag, saß er wiederum schwermütig auf seinem Stein, glarte in den Wasserfall, und plötzlich ging ihm ein Licht auf. Er entdeckte, daß Wasser immer von oben nach unten fließt, daß ein Stein herabfällt und nicht bergauf, daß auch die Regentropfen fallen, ja selbst eine Heublume mit der Zeit doch zu Boden sinkt. Er hatte das Gesetz der Schwerkraft entdeckt. Also suchte er seine Stimme auf diese Ordnung zu bringen, ließ sie von der Höhe in die Tiefe gleiten, von der Tiefe in den Kopf. Nach einigen Stunden war er in der Lage, mit Kopfstimme zu reden.

Da ereignete sich etwas Sonderbares: Er war gerade damit befaßt, die Kopfstimme in die obersten Register zu treiben, als ein Fuchsenjunges aus dem Unterholz schlüpfte, ihm respektlos ins Gesicht blinzelte, die Schnauze in die Luft hob, einen Satz machte und just vor seinen Füßen zu stehen kam. Elias erschrak heftig und mit ihm das Füchslein, und er sah den rostbraunen Schweif im Hag verschwinden. Dann kam es wieder, hielt sich aber in fast beleidigter Distanz. In die feucht-dunklen Spalten beim Wasserfall kam flattriges Leben. Fledermäuse waren vor der Zeit erwacht, schossen erregt hin und her und fanden sich nicht mehr zurecht. Als eine Fledermaus plötzlich auf das Haupt des Elias zustürzte, auf die Steinplatte schnellte und als grau-blutiger Patzen klebenblieb, wurde ihm allmählich angst. Zur selben Zeit schlugen die Hunde von Eschberg an, und ihr vielstimmiges Gebell wollte nicht enden. Nicht lange, und es krabbelten zwei Feuersalamander auf den Stein in der irrigen Meinung, daß die Sonne aufgegangen sei.

Elias hatte – wir finden keine andere Erklärung – die Hörfrequenzen der Tiere getroffen, hatte im Ultraschall der Fledermäuse gesungen, in den Frequenzen der Füchse und Hunde gepfiffen. Er hatte zu den Tieren geredet, ohne daß er es ahnte.

In jenen Tagen bemerkte der Lehrer Oskar Alder eine Veränderung an dem Mannkind. In der Schulbank mochte es nicht mehr stillhalten, wetzte ungeduldig den Hosenboden auf und ab, und einmal brach ihm gar die Schiefertafel entzwei. Wenn der Lehrer um Auskunft bat, weil kein Kind mehr Auskunft wußte, schien der Junge vollkommen abwesend. Das ließ den Lehrer stutzen, war Elias doch niemals um eine Antwort verlegen gewesen. Oskar hatte nämlich oft über das Gedächtnis dieses Kindes gestaunt, und auch dem langnasigen Kuraten Beuerlein war es gleich ergangen. Das Kind war in den Dingen der Christenlehre derart beschlagen, wußte so trefflich alle Namen und Geschichten der beiden Testamente herauszusagen, daß sich der Kurat sehr zusammennehmen mußte, um den perlenden Gedanken folgen zu können. Nach der Christenlehre sah man den Kuraten oft die Bibel studieren, die eine oder andere Stelle nachlesen. Gerne hätte Kurat Beuerlein den Elias in die Jünglingskongregation nach Feldberg gegeben, aber das scheiterte am Willen des Vaters. Melken und Mistausführen könne man auch ohne Studiertheit, sagte Seff. Womit er recht hatte, leider.

Der Junge war nicht mehr wiederzuerkennen. Als er in den Schulstunden immer vorlauter wurde, sah sich Oskar Alder einmal genötigt, die Haselrute zu langen und seinem Lieblingsschüler zehn Tatzen in die Finger zu brennen. Dabei hatte Elias nur die Wirkung seiner neuerlangten Kopfstimme erproben wollen. Nun war Oskar Alder keineswegs ein strenger Lehrer. Die Rute pfiff selten. Dennoch hatte er einmal ein Lamparter-sches Kind so grausam zugerichtet, daß es bleibenden Schaden davontrug. Es hatte ihn ohne Arg einen Stierseckel geheißen, worauf er es zu Boden getreten und dort zu einem blutig-stummen Häuflein zusammengeschlagen hatte. Hernach lasen die Mitschüler das Haupthaar von den Dielen und verschlossen die Trophäe stolz in einem tönernden Flacon. Wenn immer der Lehrer das Lampartersche jetzt ansah, es antworten sollte, fing es an zu stottern, und das Stottern blieb ihm zeit seines Lebens. Trotzdem war Oskar Alder kein strenger Lehrer, das ist wahr. Elias aber ließ sich nicht einschüchtern, und er zeigte den störrischen Charakter des Eschbergers, der, hat er sich einmal verrannt, sich nur desto schlimmer verrennt.

Elias wanderte täglich hinab zum wasserverschliffenen Stein und schliff unermüdlich am Klang seiner Stimme. Er schrie hinaus, was es hinauszuschreien galt, erprobte das Kopfregister, sang in Obertonreihen, entwickelte Laute und Schreie, die sich sonderbar, ja geradezu unheimlich anhörten. In dieser Zeit entdeckte er seine außerordentliche Begabung zur Imitation fremder Stimmen, wovon die folgende Episode berichten will.

An Fronleichnam des Jahres 1815 entstand im Dorf eine religiöse Hysterie, vornehmlich im Haus des blinden Haintz Lamparter. Es fügte sich, daß der Blinde in der Nähe des Waldrands, wo die Grenze zwischen Seffs Gut und dem seinigen verlief, Pfähle für einen neuen Weidenzaun auslegte. Nun muß man sich fragen, wie ein Blinder überhaupt imstande ist, ohne fremde Hilfe einen Zaun zu errichten?

Die Idee sei ihr gekommen, sprach die Haintzin zum Haintz, wie sie eines verregneten Sonntags nichtsdenkend auf ihr kleines Gut und hinüber auf das weitbündtige des Alder Seff geblickt habe. Die Zäun' müßten halt wandern können, habe sie vor sich her geträumt.

Am nächsten Tag sah man den Haintz blindlings in das Gut des Nachbarn hineinzäunen. Die Haintzin hielt sich in seiner Nähe, jedoch versteckt. Mit unendlich behutsamen Worten dirigierte sie den Blinden in die Alderschen Bündten hinüber. Seff entdeckte den Betrug und schwieg. Geduldig riß er den wildkurvigen Zaun nieder, und Haintz stellte ihn am nächsten Morgen ebenso geduldig wieder auf. So dachte die Haintzin vom Nachbarn Land zu schinden, und der Handel währte eine beträchtliche Zeit.

Eines lauen Abends war der Blinde wieder damit befaßt, Land vom Nachbarn zu stehlen. Plötzlich vernahm er eine Stimme, unheimlich und nie gehört. Der Holzschlägel glitt ihm aus den Händen, und sein dicklippiges Maul blieb ihm offen. Er sank in die Knie, und aus den verkrusteten Lidern rann ihm ohne seinen Willen eine Träne heraus. Wie, zitterte er, die Engel hatten zu ihm geredet? Zu ihm, der ja nur ein Bettler war vor dem Herrn?

«Was sündigst du wider deinen Nachbarn? Ich, der Prophet Elias, heiße dich bereuen!»

Als Haintz diese Worte hörte, gesprochen mit einem Rumor himmlischen Donners, da juchzte er gellend auf, grub die Finger in den Boden und verdreckte das Angesicht mit Erde. «Meine Seele ist schwarz, Herr Prophet! Laßt mir mindestens das Leben! Mein Weib hat mich verführt!» schluchzte Haintz so gotterbärmlich, daß unser Schelm selber erschrak und sich auf Katzenpfoten davonhob.

Weil ihr der Kurat in sanften Worten die Tür gewiesen hatte, beschloß die Haintzin, den Vorfall in einem Brieflein den geistlichen Herren in Rom bekanntzumachen. Denn sie zweifelte nicht einen Augenblick am Zeugnis ihres tränenüberstürzten Mannes, welchem der Prophet Elias mit Roß- und Feuerwagen erschienen war. Sie hieß den Blinden die Stelle zeigen, wo das Wunder geschehen war, und als Haintz immer tiefer in das Gut des Nachbarn tappte, führte sie ihn mit unendlich behutsamen Händen zu dem wahrscheinlichsten Punkt der Offenbarung, nämlich in die Mitte ihres Erdäpfeläckerchens. Dann fing sie selber an zu zäunen, und das doppelte Echo des Holzschlägels wurde gehört bis tief über Mitternacht.

Nach hartnäckigem Bitten ließ sich der Kurat doch herbei, auf dem Äckerchen eine Feldbenediktion zu sprechen. Davon entstand ein Aufruhr im Dorf, denn etliche mochten nicht einsehen, weshalb man just diese Offenbarung für gültig hinnahm, jedoch das Wunder, die Erscheinung, den Vorfall, die Vision auf dem eigenen Acker, im eigenen Wald, im eigenen Gaden als leere Einbildung abtat. Aber der Haintzin stand noch

Größeres im Sinn. Beim Holzschnitzer von Eschberg, dem sogenannten Meistenteils, gab sie vierzehn Kreuzwegstationen nebst vierzehn dazupassenden Opferstöcken in Auftrag, welche sie hernach auf dem Pfad zum Eliasacker aufzustellen gedachte. Auf diese Weise hätte sich der gläubige Betrachter von Station zu Station in den Leidensweg Christi, aber auch in die bittere Armut des Sehers verdenken können. Nun war die Haintzin nicht dumm, auch sie wußte, daß nur der glaubt, der sieht. Darum zimmerte sie auf dem Äckerchen einen wind- und regengeschützten Bretterverschlag, eine Art Klause. Dort sollte der blinde Seher mit gefalteten Händen stehen und staunend gen Himmel blicken.

Es ist nicht dazu gekommen. Die geistlichen Herren in Rom haben das Brieflein nie beantwortet. Der Meistenteils stellte die Kreuzwegstationen nebst Opferstöcken in Rechnung, und so kam es, daß die Mesmers eine Kuh und ein Rind veräußern mußten. Ab da wurde die Haintzin längere Zeit nicht mehr gesehen, nicht einmal beim Amt. Es gebe, streute sie aus, Mein Elias und mein Prophet! so viel Arbeit und eine Kalberei nach der anderen auf ihrem Hof.

Nachdem Elias durch unermüdliches Üben zu einer Stimme gefunden hatte, deren Ton jedermann auf das Allerwärmste anrührte, bestimmte ihn Kurat Beuerlein zum Lektor für die sonntägliche Epistelverkündigung. Aber dieser Bestimmung konnte unser Held nicht lange folgen, denn das wundersam warme Reden verstörte die Eschberger Weiber derart, daß ihnen die Andacht vollends abhanden ging. Sobald das Mannkind zu lesen anhob, kam Unruhe in die Evangelienseite. Es grapschte und rutschte auf den Bänken, es raschelten die Sonntagsröcke, die Mieder knackten,

Frisuren wurden nachgesteckt, in Gebetbüchern wurde nervös gefingert, Schuhe glitten donnernd von den Kniebrettern, und wie am Totensonntag eine uralte Lamparterin just bei den Epistelworten tot aus der Bank klappte, ahnte auch Kurat Beuerlein, daß Elias' Stimme die Andacht mehr schmälerte als vermehrte. Einige Burschen schmiedeten gar böse Ränke, wie dem Honigreder, der ihrer Weiber Köpfe so verdreht hatte, das Maul zu zerschlagen sei. Gottlob konnte er ihnen entwischen, denn das Aldersche Plappermaul vereitelte die Pläne der eifersüchtigen Burschen. Man muß sich aber in die Herzen dieser Männer verdenken, deren Weiber immerzu von der englischen Stimme des Herrn Lektor dahersäuselten. Das muß man.

Mit vierzehn Jahren schulte Elias aus, und erschrokken müssen wir feststellen, daß er schon mehr als die Hälfte seines Lebens verlebt hatte.

Vergeblich wartet der Leser mit uns auf ein äußerliches Ereignis, welches den jungen Mann endlich aus seinem engbestirnten Dorf wegrufen möchte. Ein gelehrter Wanderer, ein gebildeter Musicus könnte doch verirrt den Schritt nach Eschberg setzen, dem Elias begegnen, ihn reden und singen hören und laut ausrufen: «Sehet den da! Der wird reden von sich machen!» Wie gerne wollten wir davon erzählen, wie unser Held Abschied nimmt von seinem Vaterhaus, das nie wirklich sein Vaterhaus gewesen ist! Wie er zum letzten Mal Zwiesprache hält mit den Tieren der Emmer, mit Resi der Hirschkuh, Wunibald dem Dachs, Lips dem Rotfüchschen, Sebald dem Iltis und mit dem einstelzigen Dompfaff! Wie er nach Feldberg wandert, dort durch seinen wundervollen Baß das Musicalische Institut in helle Aufregung versetzt! Wie er das Notenhandwerk erlernt und im Orgelspiel nicht nur die Schüler, sondern bald auch den Meister selbst übertrifft! Wie gerne möchten wir dem Leser sein 1. Streichquartett – gesetzt, er hätte eines geschrieben –, eine flüchtig hingeworfene Chorfuge, einen torsohaften, aber großartig erdachten Sonatenhauptsatz beschreiben! Und mit hochgestimmtem Herzen würden wir durch das Alder-Verzeichnis streifen, worin uns ein Opus nach dem anderen zu noch größerer Begeisterung hinrisse.

Ein gebildeter Musicus hat den Flecken Eschberg nie betreten. Und als schließlich doch einer kam, war es der Neid persönlich.

Kehren wir zurück zu dem Mannkind, das die sonntäglichen Episteln mit einer Stimme vorträgt, welche die einen verzücken und die andern rasend macht. Eines Sonntags ereignete sich im Kirchlein ein grausiger Unfall, der jedoch mit Elias' Stimme nicht in Verbindung gebracht werden kann. So respektlos es auch klingt, doch dieser Unfall öffnete dem Elias Alder das Tor zur Musik, die Tür zur Orgelempore.

Der Blasebalgtreter Warmund Lamparter, ein werktagscheuer Mensch, der noch dazu so wüst trank, bis er nicht einmal mehr die Dunkelheit sehen konnte, war an diesem Sonntagmorgen mit einem zuhöchst weingeistigen Gesicht auf der Empore erschienen. Oskar Alder wollte ihn auf der Stelle heimschicken, fürchtete aber, der Lump möchte nicht mehr unbeschadet die steile Holztreppe hinabsteigen. Außerdem bestand der Lamparter stur auf seiner sonntäglichen Herrgottspflicht, den Balg zu treten. Um der nicht endenden Homilie des Kuraten ein Ende zu setzen, fing der Lamparter an, von der Brüstung herab dem Volk den Segen zu erteilen. Als ein frech grinsendes Gesicht den Betrunkenen beim Ärmel langte, sich dieser aber loswinden konnte und mit lallender Stimme das Ite-Missa-Est zu singen anhob, geschah das Unglück. Warmund Lamparter stürzte von der Brüstung und schlug in den Steinboden, wo der Körper zerschlagen liegenblieb. Die Gnade eines augenblicklichen Todes wurde ihm nicht zuteil, denn erst nach neun furchtbar durchschrienen Tagen und Nächten gab der barmherzige Gott seiner Seele ewigen Frieden. In die Steinplatte aber, worauf der schwere Körper zerschellt war, ließ Kurat Beuerlein zur Warnung folgende Inschrift metzen:

TEVFEL WARFEN IHN HINAP
WEIN WARD SEIN GRAP
R.I.P.

Das Verslein entwarf der Köhler Michel, ein Bruder des Verblichenen. Warmunds grausiger Tod muß im Leben des Michel einen gewaltigen Eindruck hinterlassen haben, denn von diesem Tag an legte er die Hände in den Schoß. Dem baffen Weib verkündigte er mit weicher Stimme, er habe in seiner Kohlgrub eine Vision erlitten. Eine Amsel habe zu ihm geredet und ihm geboten, nicht länger die Arbeit eines gemeinen Mannes zu verrichten, sondern die Berufung zum geistlichen Dichter anzunehmen. Nachdem sich die Michlerin gefaßt hatte, schlug sie dem Visionär die Faust ins verklärte Antlitz. Er aber ließ sich nicht belehren und wurde ein geistlicher Dichter. Gottlob haben ihm einige wohlwollende Nachbarn hin und wieder ein vertrocknetes Brot, ein ranziges Stück Butter, eine umgestandne Milch gereicht, denn bei der Tätigkeit des Dichtens wäre der Köhler mit Sicherheit verhungert.

In Adventu Domini des Jahres 1815 wurde Elias Blasebalgtreter an der fünfregistrigen Orgel zu Eschberg. Die Treterei war ihm natürlich nur Vorwand, endlich das geheimnisvolle Instrument aus der Nähe sehen und erleben zu dürfen. Keiner kannte die Orgel so genau wie Elias. Als Kind, wo er verdammt gewesen war, in der hintersten Kirchenbank zu sitzen, hatte er bereits die fünf Register studiert. Hatte herausgehört, daß etliche Pfeifen aus Buchenholz klangen, die restlichen aber aus einem Material, das auf seine Schuhkappen genagelt war. Er hatte beobachtet, daß die Register an schwülen Sonntagen satter, jedenfalls tiefer klangen, als vergleichsweise zur Winterszeit. Dort klang das Instrument dünn und spröd. Das ließ ihn erahnen, daß die Orgel so etwas wie eine Seele besitzen mußte, daß ihr vom Frost weh wurde, wie auch den Menschen vom Frost die Finger beißend werden. In Nächten, in welchen einem selbst im Gaden der Nasenflaum gefror, hätte er drum gern die große Heuplane des Vaters genommen und damit den Prospekt, die ungeschützten Pfeifen zugedeckt. Die chronische Verstimmtheit der Register schmerzte ihn besonders, wenn er es so auch nicht zu formulieren wußte. Jedenfalls ging er zum Onkel und sagte ihm, daß die Orgel krank sei, heiser irgendwie, daß die Pfeifen einander bekämpften, sich nicht zum Wohlklang ineinanderfügten. Die eine klinge zu hoch, die andere wieder zu tief. Die besonders maroden Pfeifen könne er ihm durchaus hier schon ansagen. Das sei vor allem die drittletzte, die im rechten Pfeifenkasten. Die habe im Sommer, das wisse er noch, einen Sprung bekommen. Oskar Alder lachte und schüttelte den Kopf. Was sich der Bub da einbilde? Er selbst habe die Orgel erst unlängst abgenommen und gestimmt. Was wolle ihm da ein Rotzgob Vorschriften machen?

Ein vages ist dem Lehrer doch geblieben. Nach dem Abendmelken stieg er drum hinauf zur Orgel, öffnete den rechten Pfeifenkasten und fand tatsächlich einen speerlangen Riß in der Stirnseite der drittletzten Subbaßpfeife. Dann ging er zum Blasbalg, zog ihn auf, eilte zum Spieltisch und fingerte durch das ganze Mixturen-Register. Er probierte Ton um Ton und mochte keine Verstimmung hören. Das ist aber mehr seinem Starrsinn zuzuschreiben, denn die Ohren vernahmen die Verstimmung duchaus.

Bald reute den Onkel der Entschluß, Elias zum Balgtreter gemacht zu haben, obwohl er nichts an der Treterei aussetzen konnte. Der Wind hielt stets gleichmäßig im Balg, was man vom Warmund Lamparter nicht hatte behaupten können. Wie oft war nicht mitten im empfindsam gesteigerten Spiel das Werklein zusammengeschrumpft, heulend und auf den letzten Löchern pfeifend, nur weil der Lamparter beim Treten eingeschlafen war! Wie oft hatte ihn dieser Sauflump um die herrlichsten Schlüsse seiner Postludien gebracht, nur weil dieser plötzlich mit den Worten von dannen schritt, es sei jetzt lang genug gespielt, längeres verletze die Pflicht der Sonntagsruhe! In diesem Punkt muß man dem Warmund nachträglich eine gute Intuition zusprechen, denn Oskar Alder postludierte oft mehr als eine Stunde, und das in der nicht wenig überheblichen Absicht, endlich zur Grundtonart zurückzufinden.

Elias jedoch war ihm ein unendlich geduldiger Diener, legte ihm Sonntag für Sonntag die Noten in griffbereiter Ordnung auf den Spieltisch, hielt beim Postludium den Wind so lange, bis der Lehrer schließlich geduldverloren mit halbfertiger Kadenz stehenblieb. Aber der Lehrer wurde nicht froh. Er spürte, wie ernsthaft ihn dieser Junge beobachtete. Wie er die Augen zusammenkniff, um den knorrigen Fingern im

Manual folgen zu können. Einmal sah er ihn gar die Stirn schmerzlich runzeln, nur weil sich in das E-Dur Töne gemischt hatten, die nicht ins E-Dur gehörten. Oskar spürte, daß diesem Herrgottskerl kein Fehler entging, ja nicht einmal der flüchtigste Finger- oder Pedalrutscher. Wirklich unheimlich wurde ihm zumute, als er eines Sonntags feststellen mußte, daß der Bub sämtliche Stimmen eines Choralsatzes, vom Sopran bis zum Baß, nachzusingen imstande war. Doch nicht genug! Der Balgtreter besserte ihm gar sein Spiel aus! Ergänzte mit voller Stimme die holprige Baßlinie, restaurierte eine verpfuschte Phrase im Alt, verzierte die Liedmelodie mit kühnen Durchgängen und Koloraturen, schrie ein verzweifeltes «b», wo der Lehrer wieder ein «h» gepatzt hatte, experimentierte mit prächtigen Tenorvorhalten, ja und dichtete bisweilen gänzlich neue Stimmen in den für Oskar ohnehin schwer faßlichen Liedsatz. Dem Organisten beschlugen die Augengläser, und er bekam es mit der Angst. Die frech grinsenden Gesichter, die schon seit Kurat Benzer die Andacht gestört hatten, lauschten plötzlich mit süßem Antlitz dem englischen Gesang des Balgtreters. Das war zuviel! Der Lehrer verlor jede Freude am Orgelspiel, ja er verlor jede Achtung vor sich selbst. Er sei halt ein ganz kleiner Spielmann Gottes, von ganz geringen Talenten, hätte es im Orgeln gern weiter gebracht, habe leider eine große Familie zu ernähren, müsse darüber hinaus die Schule abhalten. So redete er beim Schoppen im Gasthaus zum Waidmann. Und er hörte nicht auf, sich zu erniedrigen, bis daß man ihn mit lobenden Worten wieder erhöht hatte. Was er da herrede, tröstete Nulf Alder kräftig. Er sei der honnörigste Orgelist auf Gottes Erdboden, siket erat et prinzipus in nunk und semper. Tatsächlich hielt sich Oskar

Alder für einen begnadeten Spielmann Gottes, und als er den Nulf so schwadronieren hörte, stieg ihm wieder das ehrgeizige Rosenrot in die Wangen.

Am zweiten Adventsonntag bat Elias den Onkel, er möchte ihm das Orgelspiel beibringen. Oskar vertröstete ihn auf später, beschloß aber heimlich, den Buben nicht eine einzige Note zu lehren. Er allein sei der Orgelist von Eschberg. So war es, so sollte es bleiben.

Es ist nicht so geblieben. Wir denken an den Ostertag des Jahres 1820, und unser Herz überschlägt sich vor Freude. An diesem Tag wird Elias so gewaltig präludieren, wie solches die Eschberger Welt noch nicht gehört hat. Mit Mühe ermahnen wir unser Herz, ruhig in der Chronik dieses Lebens fortzufahren. Mit Mühe.

Ferner befand der Lehrer, es sei klug, von nun an die Orgelempore zu versperren. Den Schlüssel verbarg er in immer wechselnden Verstecken. Und weil er in einem fürchterlichen Alpdruck statt seiner einen kleinen Mann auf der Orgel hatte sitzen gesehen, tat er den Schlüssel an noch unerdenklichere Orte. Wer vermutet einen Schlüssel im hohlen Haupt der Eusebiusstatue, oder eingetaucht im Weihwasserbecken, im Saum der Herz-Jesu-Fahne, zwischen den Blättern eines Gebetbuches? Oder im Meßkelch, was den liebenswürdigen aber immer vergeßlicher werdenden Kuraten sehr am Mysterium der Wandlung zweifeln machte. Aber dem Elias entging nichts. Wohin der Schlüssel auch fiel, tauchte, rutschte und schirrte – er fand ihn.

In der Nacht, vier Tage vor Weihnachten, stahl sich Elias Alder auf die Orgelempore. Den Schlüssel fand er im Reliquienschrein unterm Hochaltar, inmitten der Knöchlein des Hl. Wolfgang. Die Schweißperlen glitzerten dem Elias auf der Stirn, und das Herz donnerte ihm bis in den Hals, als der Mesmer eintrat, die

Kirche abzusperren. Haintz tastete geduldig nach dem Schlüsselloch, tat eine angedeutete Kniebeuge, sprach ein schlampiges Mein-Jesus-Barmherzigkeit, und Elias war frei, war im Kirchlein eingesperrt, allein mit sich und der Orgel. Da stand es vor ihm, das geheimnisvolle Werklein. Elias klappte den Spieltisch auf, steckte eine Kerze an, wachste sie fest und schlug ein Kreuzzeichen. Dann kamen ihm plötzlich Tränen, und er selbst wußte nicht woher und weshalb. Wir wollen es auch nicht wissen, lassen unseren Musikanten allein, warten, bis sich sein Gemüt beruhigt und er anhebt, die ersten Töne seines Lebens zu spielen.

Draußen geht der Föhn, heult in den Wipfeln, tanzt wie ein Kind über die Bündten, bricht kleine Zweige, einen morschen Ast, bläst in das trockene Laub, fegt es an die Schwellen der Häuser. In dieser Adventszeit stimmt nichts weihnachtlich. Schnee wird den Kindern verweigert, die Bündten sind vertrocknet, die Emmer ist ein kleines Rinnsal. Und seltsam: Hie und da tragen die Weiden schon Kätzchen.

Und am Fenster Peters Schatten. Er hört das Geraune, sieht die Gipfel der Tannen sich wiegen. Dann blickt er auf die hohe Schwellung seines Ärmchens und verbeißt sich den entsetzlichen Schmerz. Dann blickt er in den großen Hof an den Rändern des Mondes. Peter faßt einen Plan. Sein Vater hat ihm das Ärmchen gebrochen, weil er Lakritze und Zuckerwerk gestohlen hat. Peter geht zur Laterne, hält die offenen Händchen über den Rauchschlitz. Dabei friert ihn gar nicht. Er faßt einen Plan. Er will den Vater schlagen. Der Vater muß verrecken. Und Peter blickt wieder auf die hohe Schwellung, beißt Fetzen von den Lippen und stellt sich vor, auf welche Weise der Vater umkommen wird.

Elias zog den Balg auf, huschte zum Spieltisch, suchte den achtfüßigen Prinzipal, gab ein Gedackt dazu, ging mit dem Zeigefinger behutsam von einer Taste zu der anderen, so lange, bis er den Lieblingston gefunden hatte, das große «F». Die Fingerballen schmiegten sich in die Mulden des Elfenbeins, alt und abgegriffen war das Manual. An einigen Stellen schimmerte schon das Holz durch die Tasten. Er hielt sein «F», bis es dünn seufzend verschwunden war. Dann zog er den Balg wieder auf und fing an, aus Tönen Melodien zusammenzufügen. Elias hatte zu komponieren angefangen.

Und die Begeisterung wuchs, und die Hitze seines Kopfes kühlte nicht mehr aus, die ganze Nacht. Bald hatten die Finger nach F-Dur gefunden, das Ohr hörte es schon lange voraus. Elias suchte die Melodie eines Weihnachtsliedes, summte die Phrasen, forschte nach den dazugehörenden Tasten, probierte und wurde nicht müde, den Balg aufzuziehen. Als er die Melodie spielen konnte, bekam er Laune, sie zu verbessern. Was ihm holprig tönte, glich er aus. Was ihn arm dünkte, füllte er mit Reichtum, und als die Kerze zum Stumpf gebrannt war, hatte er eine Melodie entworfen, die so geheimnisvoll glänzte wie das Kerzenlicht im Goldkelch des Kuraten. Bald gehorchten ihm die Tasten wie von selbst.

Da leuchtete ihm plötzlich ein sommerliches Bild vor den Augen. Als er einmal träumend im Gras gelegen hatte, beobachtete er die Bahn zweier Zitronenfalter, wie sie fröhlich hin und her gaukelten. Und so fing er an, der alten Melodie eine neue Melodie hinzuzufügen. Doch die Linien sollten sich gleichen, wie sich die Bahn der Zitronenfalter glich. Die Stimme in seiner rechten Hand ließ er zuerst flattern. Dann folgte die linke. Wo aber die rechte aufwärts ging, wogte die linke launig nieder, und dennoch zogen beide Stimmen eine wohlklingende Bahn. Elias komponierte zweistimmige Miniaturen. Miniaturen deshalb, weil die Luft bald aus war und der Balg von neuem aufgezogen werden mußte. Elias hatte, um es akademisch zu sagen, das Gesetz der Imitation entdeckt. Hätte man es ihm gesagt, er wäre sofort verstummt in dem Glauben, ein Unrecht getan zu haben.

So brachte er die ganze Nacht auf der Orgel zu. Im Morgengrauen befiel ihn eine Unzufriedenheit. Sosehr ihn auch das Präludieren erfüllte, die Sehnsucht seiner Ohren nach dem vollendeten Klang ließ sich nicht stillen. Er wußte, daß es am Instrument selbst lag. Es war müde. Es war krank. Elias stieg vom Bock herunter, nahm den Kerzenstummel und besah das Instrument, studierte die Pfeifen aus dem Material seiner Schuhkappen, öffnete einen weiteren Pfeifenkasten, lugte hinein, berührte eine Holzpfeife nach der anderen, kroch überhaupt in den Kasten und prüfte den Klang der einzelnen Hölzer. Er bemerkte jetzt noch größere Unstimmigkeit. Die Orgel mußte geheilt werden, und Elias beschloß, dafür Sorge zu tragen, daß die Orgel bald gesund würde. Er wolle nicht ruhen, flüsterte er mit sich, bis daß sie ihre Seele wiedergefunden habe.

Als die Turmuhr zum achten Mal schlug, öffnete der Mesmer die Pforten zum Rorate. Da hatte Elias schon alle Spuren seines nächtlichen Treibens verwischt, den Wachsklumpen säuberlich vom Spieltisch gelöst, die Orgel geschlossen, die Empore versperrt und dem Hl. Wolfgang den Schlüssel zurückgegeben. Dann stahl er sich heim.

Im Stall wunderte sich Seff, daß der Bub bereits alle

Kühe gemolken, frisches Stroh ausgeworfen, ja gar schon die Milch abgeseiht hatte. Seff gab ihm ein schläfriges Gelobt-sei-Jesus-Christus, und Elias antwortete ein stolzes In-Ewigkeit-Amen. Dann erkundigte er sich nach dem Befinden der Mutter, denn die Seffin war – trotz der lieblosen Verbindung, die die Alderschen Eheleute führten – dennoch wieder guter Hoffnung, und der Tag ihrer dritten Niederkunft war nicht mehr fern. Seff nickte, und gleichzeitig baten die beiden den Herrgott, er möge ihnen ein an Leib und Seele Gesundes schenken. Seff und der Bub hatten sich lieb, das ist wahr. Und Elias hätte den Vater vor Freude umhalsen mögen, sein Haar riechen, wie er es als Kind in schweren Nächten am Stallhut gerochen hatte. Das ist auch wahr.

Der Tag ist so freudenreich

IM Dorf brüllt der Föhn, tanzt wie der Satan, knickt Apfelbäume, zerbricht Fensterglas, blättert Schindeln von den Dächern, wühlt und staubt in Heustöcken, schlägt die Fensterladen zornig zu. Einem Lamparter schmettert er zu Mittag die Salzfuhre samt den zwei Ochsen zugrund, und der Lamparter muß die Tiere stechen, denn ihre Füße sind hin. Zwei Tage vor Heiligabend stimmt nichts weihnachtlich. Es riecht nach Regen, und schon bläut wieder der Himmel. Immer verwirbelt der Föhn das Gewölk. Die Bündten sind vertrocknet, die Emmer ist ein kleines Rinnsal. Die Tiere des Waldes dürsten. Und seltsam. Hie und da tragen die Weiden schon Kätzchen.

Am Tag des 24. Dezember 1815 scheint der Föhnsturm abzuklingen. Der Wind dreht nach Norden, die Böen glätten sich. Manchmal bringt ein Windstoß das Balkenstrickwerk der Ställe und Höfe zum Erzittern. Es ist trocken und lau. Man geht ohne Joppe, hemdsärmlig. In diesen Tagen und Nächten wagt niemand in Eschberg, ein Feuer anzuzünden, nicht einmal die Kerze zum Gebet. Jeder weiß – das Kind aus den drohenden Erzählungen und den jäh erschrockenen Augen der Alten – , was ein offenes Licht zur Föhnzeit anzurichten imstande ist. Am frühen Heiligabend geht ein Lamparter von Hof zu Hof, einem jeden, wenn nötig mit Gewalt, das Brennen der Christbaumkerzen zu verbieten. Er schleicht hin und späht in Stuben und Ställe, wird nicht des blassesten Scheins gewahr. Er nast nach den Schornsteinen und riecht nicht einmal die Prise kalten Rauchs. Dann wandert er ruhiger, tut sich sein Sonntagsgewand an, rüstet zur mitternächtlichen Mette.

Und auf der Klamm, die Petrifels genannt wird, im staubigen Dämmerlicht, die Gestalt des Peter Alder. Sitzt dort seit wer weiß wie lange, sitzt wie eine Kröte, glart auf den Zunderpilz, und seine Hand fingert am losen Glied. Daneben schnurrt der rote Kater, das Lieblingstier seiner Schwester Elsbeth. Peter nimmt ihn immer mit sich, wenn er Kummer hat. Wieder blickt er auf die hohe Schwellung seines Ärmchens, verbeißt sich den Schmerz. Nein, niemals wird er zu Kreuze kriechen, nicht einmal, wenn ihm das Maul dürr ist vor Hunger. Hat er nicht schon fünf Nächte und mehr in feuchten Gruben gesessen, ohne einen Bissen im Magen? Nein, er wird den Vater nicht um Verzeihung anflehen, wird nicht auf die Knie fallen und den Diebstahl nicht bereuen, koste es ihn die heilige Mette. Sein Plan steht fest. Heute wird er den

Vater schlagen. In dieser Nacht muß er verrecken. Peter blickt auf die Schwellung, beißt Fetzen von den Lippen und stellt sich vor, auf welche Weise der Vater umkommen wird. Dann wird ihm elend vor Schmerz. Warum soll er das Weh alleine tragen? Und er nimmt den Mauerbrocken, greift nach der Pfote und zerbricht der schnurrenden Katze das Bein. Er lauscht dem Geschrei des Tieres. Rührung kommt ihn an, und er bricht ihr das zweite Bein.

Die Eschberger Christmette war immer ein bewegendes Zeugnis bäuerlichen Weihnachtsempfindens. Das hatte sich herumgesprochen, landauf und landab. Nirgendwo sonst wurde das Hochfest der Geburt des Herrn so lebendig nachempfunden. Darum wanderten alljährlich viele Schaulustige aus dem Rheintalischen herauf, und das Kirchlein platzte schon zwei Stunden vor dem Beginn der Mette aus den Nähten. Man stupfte und drängelte sich in den Bänken, reckte ungeduldig die Köpfe nach der Apside, das Schiff glich einem Wespennest. Nulf Alder kam unzeitig, faustete sich durch die Menge, und davon entstand ein kleiner Tumult. Er ließ sich nicht besänftigen, bis er sich endlich zum angestammten Platz vorgekleubt hatte. Jeder, der gehen konnte, war gekommen. Fast das ganze Dorf war versammelt, hatte glänzende Nasen, rotgescheuerte Hälse, frisch gestärkte Krägen, luftig raschelnde Röcke und hoffärtig gezopftes Haar. Selbst in der Ledigenbank kniete man Knie an Knie, und es ist kaum zu glauben, aber die Burga roch nach Rosenöl.

Eröffnet wurde die Mette mit einem Hirtenspiel. Die Verse stammten aus der Feder des Köhler Michel, und es soll nebenbei bemerkt werden, daß der Michel durch seine Berufung zum geistlichen Dichter dürr vor Hunger geworden war.

Das Poem wurde von den Schulkindern des Dorfes in szenischer Weise dargebracht. Die Rolle der Maria mußte jeweils ein zu der Zeit hochschwangeres Weib geben, weshalb auch der große Menschenzulauf vom Rheintalischen erklärlich ist. Die für unsere Begriffe befremdliche Sitte rührte noch aus den Tagen des Kuraten Benzer, und tatsächlich soll einmal ein Weib während des Hirtenspiels niedergekommen sein. Nun, die Eschberger Weiber erhofften sich dadurch unermeßliche Gnaden für ihr kommendes Göblein, ja einige berechneten den Tag des Beischlafs im Hinblick auf den 24. Dezember. Wir würden dem Leser dieses abgeschmackte Detail verhehlen, wäre nicht ausgerechnet die Seffin im Stroh gelegen. Man muß ihr aber zugute halten, daß sie sich lange gegen die Zurschaustellung ihres Bauches gesperrt hatte. Wieder war es die beste Freundin, die Haintzin, welche der Schwangeren geraten hatte, diese vortreffliche Gnade nicht auszuschlagen. Mein Elias und Prophet! wer habe denn Gewähr, daß es ein an Leib und Seele Gesundes würde?

Es ist alles anders gekommen, mochte schon in der schwülen, weihrauchersticken Kirchenluft gelegen haben, daß alles anders kommt. Manchmal sackten dünnbrüstige Kinder ohnmächtig unter die Bänke, das Föhnweh zehrte an jedermann, und die Alten klagten seit Tagen über teuflisches Kopfgrimmen. Nichts stimmte weihnachtlich.

Auch der langnasige Kurat Friedolin Beuerlein hatte die Vortage schlecht geruht. Wenn er aber schlecht geruht hatte, verließ ihn der Geist des Herrn, und die Senilität brach hemmungslos hervor. Schon in der Sakristei bat er den Mesmer in weitläufigen Worten um Auskunft, welcher Liturgie heute zu folgen sei, der österlichen oder der weihnachtlichen. Man wußte sich nicht zu einigen, drum wandelte mitten im Hirtenspiel der Kurat plötzlich aus der Sakristei und stimmte das österliche Halleluja an. Ein gottlob geistesgegenwärtiger Ministrant zupfte den Kuraten am Chorhemd und tuschelte erregt, daß es wahrhaftig Heiligabend sei. Trotzdem geriet alles aus den Fugen. Der Kurat ließ das Hirtenspiel abbrechen, intonierte in festlichem Vibrato das Gloria-in-excelsis-Deo, aber Oskar Alder griff eiligst in die Tasten, die Peinlichkeit vor den rheintalischen Gästen zu vertuschen. Als darauf der Kurat noch einmal das Gloria anstimmte und gar ein drittes Mal – er vergaß hinterher, was vorher gewesen war – , zog der Organist alle Register der Orgel und präludierte in der Melodie jenes Weihnachtsliedes, das unser Elias nächtens so kunstvoll gesetzt hatte. In der allgemeinen Nervosität fand Oskar Alder nicht zur Tonika zurück, doch begriffen die Bauersleute seinen Willen, erhoben die Stimmen und priesen das Wunder dieser Nacht.

Welch ein Schauspiel! Indem ihre Stimmen voller wurden, kam weihnachtlicher Glanz in die Augen. Das Blut geriet in Wallung und stieg in ihre langschädligen Grinder. Überall sang und pries es aus dicklippigen Mündern, die grobgeschafften Hände wurden ihnen feucht und weich wie kostbarer Samt.

DER TAG IST SO FREVDENREICH
ALLER KREATVRE
DENN GOTTES SOHN VOM HIMMELREICH
ÜBER DIE NATVRE
VON EINER JVNGFRAV IST GEBORN

Da zerriß ein eisiger Schrei den Kirchengesang. Man vermeinte ein Weib gellen, doch der Schrei stieß aus der Kehle des Balgtreters Elias Alder. «Es brennt!!»

schnitt es in Mark und Bein. Der Tretbalken donnerte in den Anschlag, an der Brüstung erschien Elias' aschfahles Gesicht, und aus dem Mund brach es mit der gläsernen Stimme seiner Kindheit: «Elsbeth, Elsbeth verbrennt!!» Er wußte, daß das Mädchen mit Rotfieber zu Bett lag.

Dann sahen alle den Schein des Ersten Feuers. Die Farben der Kirchenfenster im Ostchor fingen an zu leuchten. Der Feuerengel ging durchs Dorf und hieß den Föhn, der endlich verstummt war, eiligst auferstehen, sein Horn nehmen und mit prallen Backen in die Ritze jener Tenne blasen, wo das gedemütigte Kind den Heustock angezündet hatte. Und der Engel gebot dem Föhn so lange zu toben, bis daß die ganze Nordflanke des Dorfes verwüstet, das letzte Maisäß und das Gras der höchsten Bergbündt versengt sei. Denn er suchte den Geschlechtern von Eschberg zu bedeuten, daß Gott dort den Menschen nie gewollt hatte.

Die zwölfangligen Flügeltüren ließen sich lange nicht öffnen. Die Leiber der Schreienden preßten und verkeilten sich ineinander, drückten mit roher Gewalt gegen die Pforten. Als eine massige Hand die Schnalle fand, sprengte der Flügel endlich auf. Dem aber die Hand gehörte, der brüllte vor Weh, denn sie war zertrümmert und Blut schoß unter den Nägeln hervor. Es trat, schlug, focht und schrie sich alles ins Freie. Nur eine Mutter blieb zurück, ihr Kleines lag mit zertretenem Kiefer im Sandstein. Und das Weib hatte verdrehte Augen und lachte, denn aus dem Grind des Kindes quoll das Hirn. Und das Weib pickte die Zähnchen vom Boden und küßte sie, als seien sie kostbarer denn die kostbarsten Perlen der Welt.

Unsagbar ist das Leid dieser hohen Nacht. Wir müssen den Spuren unseres Helden folgen, können nicht die vielen begleiten und ihren Kummer mit vager Hoffnung lindern, wenn sie dastehen, ihre Höfe und Stallungen, das Vieh und den Hausrat verbrennen sehen.

Das Anwesen des Nulf Alder stand in schreienden Flammen. Das Feuer züngelte in den Kronen der föhngeknickten Obstbäume, ja selbst das Gras brannte in großfleckigen Vasen. Es schien unmöglich, sich der Fensterseite der Wohnstatt zu nähern, weil die Hitze derart heftig abstrahlte, daß man schon beim Gartenzaun erstickt wäre. Elias suchte das Wehschreien des Mädchens und hörte nicht einmal ein leises Flennen. Während Nulf Alder fluchend und Gott immerzu verhöhnend Bretter aus der Ostseite des Stalles zerrte, um wenigstens ein Stück Vieh retten zu können, riß ihn die Nulfin am Haar und flehte ihn an, doch um Himmelswillen das Mädchen aus den Flammen zu bergen. Nulf schlug sein Weib zu Boden, brach ein weiteres Brett aus der Wand, sah in den Stall und mußte auf der Stelle erbrechen, denn heraus trat der gespenstische Gestank verschmorten Fleisches.

Da hatte Elias schon die Leiter gegen die Südwand gestemmt, war auf das noch unversehrte Dach gestürmt, schälte jetzt mit bloßen Händen die Schindeln von den Latten, kratzte sich die Finger an den Rostnägeln blutig, verspürte aber nicht den geringsten Schmerz. Mit Fußtritten brach er die Dachlatten ein, schuf sich ein Loch, glitt hinab und fiel glimpflich in die Türkenkolben, welche auf der Diele zum Trocknen lagen. Da vernahm er plötzlich ein leises Husten. Er kniff die Augen zusammen und hörte angestrengt. Am Knistern und Prasseln des Holzes enträtselte er den Gang des Feuers, und binnen kurzer Zeit wußte er, welche Teile der Wohnstatt brannten. Er fand das

Mädchen im rauchverhüllten Gaden. Es lag mit wachen Augen unter dem Bettrost, das Mündchen hatte sich in der Stoffpuppe verbissen. Er faßte ein Ärmchen und zog die kleine Elsbeth heraus, schob seinen Arm unter ihre Hüfte, hob das Mädchen vom Boden auf, drückte den Körper fest an seinen Rumpf …

Und es lag Elsbeths Herz auf Elias' Herzen, und Elsbeths Herzschlagen ging in Elias' Herzschlagen. Da brüllte Johannes Elias Alder so entsetzlich auf, so jämmerlich, als müßte er bei hellem Verstand sterben. Da zertrümmerte der Schrei augenblicklich das Bewußtsein des Mädchens, und es sank ohnmächtig in den Körper des jungen Liebenden. Da erfüllte sich die Offenbarung, welche der Fünfjährige einst im Bachbett der Emmer vernommen, indem er das Herzschlagen eines ungeborenen Kindes gehört hatte. In dieser Nacht des allgegenwärtigen Grauens verliebte sich Johannes Elias Alder in seine Cousine Elsbeth Alder. Mußte sich verlieben, denn Gott war noch lange nicht fertig mit ihm.

Und auf der Klamm, die Petrifels genannt wird, in einer Scharte, die Gestalt Peters, das blessierte Kind. Der Widerschein des Feuers schimmert auf seinem speckigen Haar. In den staunenden Augen spiegelt sich die brennende Nordflanke des Dorfs. Der Mund hängt offen, die Lippen sind ihm ausgetrocknet. Den Zunderpilz hält er fest in der Hand, läßt ihn nicht mehr los. Peter zählt die Höfe, fünf, sechs, der des Lamparter Daniel auch, der des Alder Matthä auch, das Haus der Hure auch, und es verbrennen immer mehr. Das ist die Stunde seiner Rache. Nein, er ist nicht in die Knie gegangen, hat den Diebstahl nicht bereut. Und in den Augen leuchtet das brennende Dorf, und die Augen werden ihm naß vor Rührung, und er wischt sich die Tränen mit dem verkrüppelten Arm, und fängt an zu beten, und er bittet mit warmtönender Stimme, daß der Vater verrecke. Und er singt stimmbrüchig und je länger, je lauter: «Herr Vater, Ihr müßt verrecken!»

Eine Nacht und einen halben Tag schändete das Erste Feuer. Um die Mitte des Christtags glühten die Bündten noch immer. Eine riesige, tiefhängende Wolkenbank zog über Eschberg, und es entstand ein Licht, wie noch kein Mensch es gesehen hatte. Die Erde rötete den Himmel. Rauchsäulen stiegen zur Wolkendecke, Baumstrünke glimmten, flammten immer wieder auf. Fünfzehn Höfe waren zu Asche geworden. Zwei greise, bettlägrige Männer waren umgekommen. Auch vier Kleinkinder, zählt man das im Kirchlein zu Tode getrampelte hinzu. An die hundert Stück Vieh und Kleingetier waren verbrannt. Viele, die sich retten wollten, hatte das Feuer versehrt. Die Hälfte des Dorfes, die Nordseite, lag verwüstet. Der Schaden an Wald und Flur war unbeschreiblich. Alles, was dort brennen konnte, war niedergebrannt.

Trostlos in allem Untrost, wer in jenen Tagen und Nächten die Katastrophe mitansehen hatte müssen. Nicht genug, das Prasseln, Krachen und Tosen meilenweiten Feuers. Nicht genug, das Wehklagen der Menschen überall. Nein, auch die hilflose Kreatur mußte man ersticken, verbrennen und zu Tode stürzen sehen. Weil alles Rotwild auf die Gräte zutrieb, gab es schließlich kein Entrinnen mehr. Ein volles Rudel sprang instinktlos in die Schlucht. Das Kleingetier fauchte und pfiff mit brennendem Pelz, mit verschmorten Häuten im Kreis. Vögel schnellten mit versengten Flügeln in die Brände, denn die Hitze stieg bis hinauf zum Himmel, und die windgepeitschte Lohe sprühte höher denn eine Meile.

Als Elias dann im Jännerschnee nach den Tieren des Waldes rief, in unhörbaren Lauten, Geräuschen und Trillern, da kam keines von ihnen herauf aus dem weißen, baumstrünkigen Horizont. Resi die Hirschkuh nicht, Wunibald der Dachs nicht. Nicht Lips das Rotfüchschen, nicht Sebald der Iltis und der einstelzige Dompfaff auch nicht.

Nur ein winziges Häuschen in der Nordflanke des Dorfes blieb verschont. Unglücklicherweise, muß man hinzufügen, denn es war das Höflein des Schnitzmeisters Roman Lamparter, des Meistenteils.

Aber die Gebäude auf der Südseite von Eschberg standen wie eh und je. Weder das Kirchlein, noch ein Hof, ja nicht einmal die winzigste Schindel hatte Schaden gelitten. Das vermehrte die Wut der Menschen im Norden, und als sie die Ungerechtigkeit sahen, brachen etliche unter höllischen Schreikrämpfen bewußtlos zusammen.

Am Christtag bündelten acht Familien ihre wenige Habe und verließen unter Tränen ihr geliebtes Eschberg. Im Rinnsal der Emmer wanderten sie hinunter ins Rheintalische, wo sie in der Folge der Zeit entweder in Armut verkamen, oder als bloße Brotknechte bis zum Ende ihres Lebens das Land anderer bestellten. Unter ihnen befanden sich der Haintz und die Haintzin sowie die Familie des Alderschen Plappermauls. Wir verlieren diese Menschen und die Geschichten, welche mit ihnen verbunden sind, für immer aus unserem Gesichtskreis.

Das Aldersche Plappermaul schien aber erst gehen zu können, nachdem es eine irrwitzige Verleumdung durchs Dorf getragen hatte, deren grausame Folgen der Stephanustag zeitigte. Es will nämlich, schenkt man dem Zeugnis Glauben, aus sicherer Entfernung beobachtet haben, wie der Meistenteils hinter verschlossenen Fensterladen bis zum Morgengrauen auf und nieder gewandert sei. Er soll mit zerzaustem Haar und schaumtriefendem Mund zu den eigenen Schatten geredet, soll sich wie ein Fallsüchtiger auf dem Boden gewälzt und hernach ein Papier verfaßt haben, auf welchem deutlich das Wort «brennen» geschrieben stand. In der schwärzesten Finsternis seines Kellers habe er gotteslästerliche Handlungen vollzogen, habe das Avemaria rückwärts gebetet, nach muselmanischer Art, habe endlich gar auf den Kruzifixus geseicht, will das Aldersche Plappermaul in der Dunkelheit der Nacht und aus sicherer Entfernung beobachtet haben, schenkt man dem Zeugnis Glauben.

Nicht einmal die gefährlichsten Idioten von Eschberg schenkten diesem Zeugnis Glauben und trotzdem galt als bewiesen, daß der Schnitzer Roman Lamparter den Brand entfacht hatte. Allzu lang hatten die Eschberger Bauern mitansehen müssen, wie dieser kurzbeinige Mann mit den dichtbuschigen Augenbrauen und den tausend Lachfalten ums Maul ihren Glauben, ihr Leben und Schaffen jeden Tag aufs frechste verhöhnt hatte. Denn er pflegte werktags im Sonntagsgewand daherzugehen, und wenn er jemanden in der Juliglut den Hang rechen sah, trat er zu ihm hin, nahm das Binokel von der Nase, blies Pollenstaub von den Gläsern, kreiselte sein geschnitztes Gehstöckchen durch die Luft, griff in den steifen Kragen und redete als die größte Studiertheit über die Mühen des Bergbauerndaseins. Daß es nicht lohne und daß einem von der beschwerlichen Arbeit der Bauch meistenteils nicht voll würde, es darum klüger sei, die Hände in den Schoß zu legen und sich im Schatten am kunstvollen Blau des Himmels zu weiden gleich den Vögeln im Geäst. Solch Gerede mußten sie hören von einem, der sich nicht einmal einen Zentner Heu leisten konnte. Und die Schwitzenden mochten vor Zorn zu Boden spucken, hatten aber keinen Speuz mehr in den staubtrockenen Mäulern.

Was die Bauern aber aufs alleräußerste empörte, war die Gestalt seiner Wohnstatt. Er, der niemals zum Amt ging, ja nicht einmal zur Weihnachtsmette, war auf die Idee verfallen, sich ein Häuschen nach dem Äußeren des Eschberger Tabernakels zu bauen. Der Meistenteils werkte und schnitzte daran mehr als vier Jahre, und wie das Häuschen fertig stand, glich es dem Allerheiligsten mit seinen vielgliedrigen Fialen bis auf die letzte Krabbe. Fühlt man sich in ein Eschberger Bauernherz, ist nur begreiflich, weshalb der Meistenteils beargwohnt, ja gehaßt wurde. Denn wer mochte nicht im Tabernakel wohnen? Und daß ausgerechnet er – ein Schuldenmacher und Antichrist – mit Jesus die Wohnstatt teilte, war eine Ungerechtigkeit, die nach Sühne schrie. Der Meistenteils war nicht würdig, daß der Herr eingehe unter sein Dach. Er nicht!

Zu guter Letzt fügte er diesem Frevel noch einen weiteren Frevel hinzu. Seine einzige Milchkuh – ein dürres Tier mit gänzlich ergrautem Maul und blutversprengten Glotzen – taufte er just auf den Namen St. Elisabeth, denn die Kuh hatte ihm noch im hohen Alter ein Kalb geworfen. Es führte zu weit, all die empörenden Episoden aus dem Leben des Meistenteils aufzuzählen, geschähe es nicht in einem ihm eigens gewidmeten Büchlein.

Am Morgen des Stephanustages zerbrachen sie ihm mit gewaltigen Stiefeltritten die Tür, donnerten hinauf in den Gaden, ohrfeigten ihn aus den tiefsten Träumen, wollten ihm schon den Holzpfahl ins Gesicht rammen, hätte nicht einer Halt geboten und gerufen, der gottverreckte Hund solle bei lebendigem Leibe verbrennen. Zwei derer, die gekommen waren, schrenzten ihm das Nachtgewand weg, schlugen ihn aus der Bettstatt, rissen ihm ein Ohr ab, während der dritte wie der Teufel den ganzen Zierat des Gadens, das Schnitzwerk und den Hausrat mit Hammerschlägen zertrümmerte. Die Augen des dritten fielen auf eine Blechkanne, und auf der Kanne stand das Wort Leuchtöl geschrieben. Dann warfen sie ihn nackt die Stiege hinab, doch er fiel glücklich und konnte entwischen. Sie setzten ihm nach, waren schneller, denn sie hatten die Kräfte von Mördern. Er schlug Haken und entkam ihnen abermals, strauchelte, kletterte und schwang sich im Geäst des Unterholzes bis hinauf zur Klamm, die Petrifels genannt wird. Dort aber war ein Abgrund, und es gab nur den einen Weg: hineinzurennen in die Rauchschwaden, durch das verkohlte und oft noch glühende Astwerk des verbrannten Waldes. Er hatte nur die Kraft der Todesangst, und die ist irr und ziellos. Für eine Weile gelang es ihm, in den Schwaden unterzutauchen. Die Füße hatte er sich verbrannt, doch er empfand weder kalt noch heiß, drang immer tiefer in den Rauch. Dann vernahm er ihre Stimmen dicht vor seinen Augen, ging rückwärts, wandte sich nach allen Seiten, stieß plötzlich gegen einen Baumstrunk, schrie gellend auf; eine rußige Faust schoß aus dem Nebel, und er war gefangen.

Wo er denn heute sein gottverrecktes Sonntagsgewand gelassen habe, lachte es höhnisch. Er wußte nicht, sollte er die Hand gegen den blutstürzenden Kiefer stemmen, oder das Geschlecht verdecken. Ja und ob er denn heute sein Binokel verlegt habe. Er solle ihnen doch noch einmal wie die größte Studiertheit daherreden, vom Bergbauerndasein und dergleichen, solle in den steifen Kragen greifen, weibisch herumstolzieren, wie er solches meistenteils zu tun pflegte. Sie demütigten und quälten ihn mehr als zwei Stunden. Dann banden sie ihn mit Hanfseilen an einen Baumstumpen, sammelten halbverkohltes Holz, schlichteten es um seinen Körper, übergossen ihn mit Petroleum, brüllten vor Genugtuung und zündeten ihn an. Aber die Mörder wußten, daß er den Brand nicht gelegt hatte, brüllten drum noch lauter und so lange, bis endlich ihr Gewissen überschrien war.

Es fügte sich, daß zur selben Zeit Elias in der Gegend des Petrifelsen nach dem verschwundenen Freund Ausschau hielt, denn er kannte Peters Versteck. Allein, er konnte ihn nicht in der Scharte finden, fand lediglich Elsbeths röchelnden Kater und einen Zunderpilz. Als er sich auf den Rückweg machte, zerriß ihm ein gewaltiges Schreien schier die Ohren. Erst klang der Schrei nach furchtbarem Lachen, dann aber wußte Elias, daß irgendwo in den Rauchschwaden ein Mensch zu Tode gebracht wurde. Und Elias vernahm die Stimmen der Mörder, und der, der alle antrieb, hieß Seff Alder. Seff Alder, sein Vater. Sein Vater, den er lieb hatte und der ihn lieb hatte.

Da stand es, das Mannkind. Die Finger verrenkten sich, die Lippen wurden ihm blau. Von den Lippen aber ging es zärtlich und ohne Ende: «Herr Vater, Herr Vater, Herr Vater?»

Der Winter 1815

DIE Toten begrub man am Nachneujahrstag, also neun Tage nach der Katastrophe. Das hing damit zusammen, daß die Leiche des Lamparter Eduard nicht mehr aufgefunden wurde. Wiewohl man den Schutt seines Hofes peinlich durchwühlt hatte, nicht ein einziges Knöchlein, ein verkohltes, konnte geborgen werden. Zum Vorschein kam lediglich der Porzellankopf einer Tabakspfeife, und das ließ die Eduardin aufgellen vor Kummer. Fünf Särge standen im Chorraum des Kirchleins, darunter vier lieblos gezimmerte Holzkistchen für die zu Tode gekommenen Kindlein. Neben dem fünften Sarg aber stand ein Stuhl, und dort ruhte der auf ein Damastkissen gebettete Pfeifenkopf des Eduard Lamparter.

Der Schmerz der Trauernden wurde noch dadurch gesteigert, daß Kurat Beuerlein das Requiem beim Tuba-mirum endigte, verwirrt in die Gemeinde blinzelte, dann jedoch sehr selbstsicher befand, man müsse nun zum Taufakt schreiten. Also schritt der Kurat zu den Särgen nieder und nahm ihnen das Taufversprechen ab. Zwei Kerle wanderten daraufhin mit Staccatoschritten nach Götzberg und taten dem Pfarrer kund, man wolle den hochwürdigen Herrn Kuraten nicht länger in Eschberg leiden. Der Götzberger Pfarrer schien wie vom Donner gerührt, als man ihm den zerrütteten Geisteszustand seines Mitbruders auseinandersetzte. Mit roten Wangen und einem leisen Teufel-Teufel! lauschte er den Schilderungen der Kerle. Er versprach Hilfe, versprach selber nach Eschberg zu kommen, versprach in der Sache beim Generalvikariat persönlich vorzusprechen. Wie er den Kerlen zum achten Mal den Segen gab – auch seine Tage waren hoch an der Zahl – begriffen sie, trampelten murrend und mit durchaus lautem Staccato wieder gen Eschberg zurück.

Jene, welche nicht ins Rheintalische gewandert waren, blieben sturen Mutes in Eschberg. Schon zu Epiphanie fingen sie an, ihre Höfe wieder aufzubauen. Der Waidmannwirt gab ihren Familien Quartier. Während der Wintermonate lebten und schliefen über siebzig Menschen Kopf an Kopf in der engen Schankstube.

Und die Seffin, das arme bedauernswerte Weib, mußte dort ihre dritte Niederkunft erdulden – unter aller Augen. Man hatte ihr die Bitte nicht erfüllt, das Lager mit einem Linnen zu verhängen. Männer stierten auf ihre offene Scham, Kinder ballten heimlich die Hände, ballten sie noch verkrampfter, als vermöchten sie das Kind pressen helfen. Einige Weiber glotzten auf die zerschundene Backe im Gesicht der Gebärenden. Dann ging ein Raunen durch die Schankstube. Ein Närrisches sei zur Welt gekommen, und damit meinten sie ein Mongoloides. Arme Agathe Alder, arme!

In der Zeit, wo man in der Schankstube notlagerte, sah es im Kopf des Elias aus wie in einer tiefen, gefährlichen Schlucht. Was er dachte, fiel ins Bodenlose, verhallte ohne Antwort. Er bekam hohes Fieber, litt an Schweißausbrüchen, und wenn er des Morgens erwachte, rannen ihm die Tränen willenlos von den schlafverklebten Augen. Dann hockte er stundenlang am gleichen Ort, bewegungslos. Nicht einmal die Tropfnase zog er hoch. Oft mußte man ihn bei den Schultern packen, ihn heftig durchrütteln, bis aus dem Mund endlich ein vager Laut kam. Er schien nicht mehr zu hören, schien nicht mehr reden zu können. Niemand wußte, daß er unter Schock stand.

Als nämlich in der Nacht des Verbrechens die Mörder das Gasthaus betreten hatten, begann ihm der Körper so heftig zu zittern, als würde er gleichsam von unsichtbaren Händen hin- und hergeworfen. Wiewohl er sich verzweifelt zu beherrschen suchte – niemals hätte er den Vater verraten – , es wollte nicht glücken. Tiefgurrende Laute entglitten ihm ungewollt, und er stopfte sich die halbe Faust in den Mund, biß die Zähne ins Fleisch, auf daß es endlich vorübergehe. Es half nicht. Alles stierte auf Elias. Schließlich brachte er sich selber in Ohnmacht, indem er die Arme gegen den Brustkorb stemmte und keinen Atem mehr schöpfte. Die Szene machte ein unheimliches Bild, man mutmaßte den Anfall eines Fallsüchtigen und hieß den eben eingetretenen Seff seinen Buben aus der Stube nehmen. Seff tat es und trug ihn hinaus. In seinen Armen erwachte der schlaffe Körper. Als aber Seff die Augen des Jungen sah, zwei gespenstische Löcher, da ahnte er, daß Elias alles wußte. Seff verlor die Kraft, und Elias glitt ihm aus den Armen. Dann sah er, wie aus den Mundwinkeln des Buben ein schwarzes Wasser spritzte. Er konnte es nicht mitansehen und taumelte zurück in die Schankstube.

Dort tat er etwas, das man nicht für möglich gehalten hätte. Er, der des Tags kaum zwei Wörter von den Lippen zwang, redete auf einmal so hastig und viel, als sei er der geschwätzigste Mensch von Eschberg. Er sprach in zerfetzten Sätzen, endigte sie in kantigen Handgesten, stotterte und steigerte sich ins Gebrüll, gönnte sich kein Verschnaufen mehr. Indem er so redete, scharten sich die anderen Männer, welche ebenfalls mit ihm eingetreten, immer dichter um ihn, fingen selber an zu lärmen und donnerten hinein in die staunend verstummten Gesichter der übrigen.

Man habe den gottverreckten Hund überall gesucht, denn man wisse durch Zeugen, daß der Meistenteils es gewesen sei, der das Dorf angesteckt habe. Länger denn sechs Stunden hätten sie die Klamm durchkämmt, doch er sei wie vom Erdboden verschluckt gewesen. Nulf Alder prasselte dazwischen, daß der Antichrist nun wohl für immer entwischt sei. Drum, wer gehen könne, dürfe das Haus des Schnitzers plündern. Als Ortsvorsteher von Eschberg gebe er die Erlaubnis dazu. Und die Mörder drohten verlogen, dem Meistenteils, falls er sich unterstehe, jemals auch nur in die Nähe ihres geliebten Dörfchens zu kommen, sogleich die gewetzte Axt in den Schädel zu treiben. Und abermals überschrien sie ihr zitterndes Gewissen.

Elias taumelte am Wandtäfer entlang hinaus ins Freie. Er wollte in die Dunkelheit tauchen und sterben. Da langte ihn eine kleine Hand bei der Schulter, und in den Rücken sprach es stimmbrüchig und leise:

«Gelt, du wirst mich nicht verraten. Das wirst du nicht tun. Weil dann kommt etwas anderes.»

Elias wandte sich um. Beide standen ruhig. Dann, wir wissen nicht weshalb, strichen sie einander durchs Haar, rochen glücklich ihren Atem. Peter deutete auf sein verkrüppeltes Ärmchen, so als müßte er sich entschuldigen dafür. Elias wischte sich den Mund, bewegte die Lippen, wollte reden. Sie schwiegen. Und wieder bebten Elias' Lippen, er mußte reden, mußte ihm wenigstens ein Wort geben, ein Wort. Sie schwiegen. Peter jedoch fühlte mit Gewißheit, daß der Freund ihn niemals verraten würde.

Nachdem Nulf Alder das Häuschen des Meistenteils zur Plünderung freigegeben hatte, war man zuhauf losgezogen, hatte das Höflein in kaum einer halben

Stunde bis zum Skelett abgetragen und leergefressen wie die Raupen das Blatt. Das ganze Schnitzwerk, der kunstvolle Zierat, die vielen Schnitzmesser und Hobel, die steifen Kragen, das Binokel, das Deckentäfer, die Fensterladen, die Bettstatt, die Bretterdielen, ... alles wurde gestohlen. Der Alder Matthä und der Köhler Michel drangen gleichzeitig ins Ställchen. Beide halfterten die St. Elisabeth los und stritten darum, wem die Kuh nun zustünde. Der Matthä war stärker, stieß den Michel in den Schorgraben und zerrte das klapprige Tier ins Freie. Daraufhin wurde der Michel zornig, setzte dem Matthä nach und spirzte die Stiefel wütend ins Hinterteil der St. Elisabeth. Da geriet die Kuh aus dem Gleichgewicht, rutschte, plumperte wie ein schwerer Mehlsack den Hang hinab, brach sich das Genick und war hin. Der Köhler Michel lachte schallend, strich sich den Mist vom Maul als seis Honig und schrie dem Matthä triumphierend ins Gesicht: «Du Himmel-Sakrament-Seichenfott!! Sie gehört trotzdem mir!!»

In jenen Wochen, welche auf das Erste Feuer folgten, fiel Schnee, hüfthoch. Dann kam die Kälte, dann kam der Hunger. Doch die Eschberger Bauern standen zusammen. Die das Feuer verschont hatte, teilten ihre Milch mit den über Nacht Verlumpten, buken Brot, gaben Kleidzeug, führten ermutigende Reden, ja gewährten ihnen zum Aufbau der Höfe Freiholz aus den eigenen Waldgründen. Noch im Jännerschnee gingen die so Ermutigten daran, die Mauern ihrer Höfe freizulegen. Kinder und Weiber türmten den Schnee zu großen Haufen, und wenn eines plötzlich Hausrat fand, der ganz geblieben war, zeigte es mit reichen Augen jedem den Fund. Auf der Südseite des Dorfes schlug man neue Schneisen in den Wald, und denen der Wald gehörte, die geizten nicht, ließen die fettesten Tannen stürzen, schirrten ihre Pferde, Ochsen und Rinder ein, streckten die Fuhren in hochwandigen Schneerinnen hinüber zur Nordseite. Weil das Licht der Wintertage kurz ist, trieben sie ihre Tiere mit wüstem Hott voran, und das Fell der Tiere dampfte in der klirrenden Jännerluft.

Eine geheimnisvolle Großmut schien in die Herzen gekommen. Die in Not geraten waren, begriffen nicht, weshalb man ihnen so selbstlos half. Sie redeten sich ein, es geschehe aus Dankbarkeit gegenüber Gott, weil er denen auf der Südflanke ihre Häuser bewahrt hatte. Niemals war ein Lamparter einem Alder freiwillig zur Hand gegangen, geschweige ein Alder einem Alder. Wenn einer unter bösen Gewitterwolken schwitzend sein kräuselndes Heu zusammenriß, stand der Nachbar hinterm Fenster und hoffte, daß die Wolken nur bald brechen und dickstrichig die Heumaden versauen möchten. Erst als der Regen niederprasselte, war man endlich helfend herbeigerannt.

Noch im Sommer desselbigen Jahres sollte sich bewahrheiten, daß man nicht grundlos mißtraut hatte. Es geschah nämlich, daß die großmütigen Helfer heimliche Verzeichnisse angelegt hatten, worin jedes Klafter Holz, jedes Pfund Anken, jeder Brotlaib, jedes Ei und jeder Schlucken Kirschwein säuberlich aufgeschrieben stand. Sogar die Tabakprisen, welche man den Armen aufdringlich oft gelangt hatte, waren gezählt worden. Es kam der Tag der großen Abrechnung, und die Gläubiger forderten Jahrzehnte, bis endlich der letzte Heller beglichen war.

In der unglückseligen Weihnachtszeit des Jahres 1815 sieht man den Elias durchs Dorf irren, ohne Ziel. Nervös stapft er über verschneite Bündten. Zerrissen und zerlumpt ist sein einziges Gewand, der Sonntagsanzug. Wer dem Jungen begegnet, dem wird das Herz schwer. Er steht da wie ein junger Kirschbaum, dem die Knospen, noch ehe sie erblüht, abgefroren sind. Wer seine Augen sieht, der muß still werden, und einige wähnen, der Geist des Kindes sei erloschen. Wenn er des Morgens in der Schankstube erwacht, rinnen ihm die Tränen über die Wangen. Dann sitzt er rührungslos und zählt die Äste im dunkelwelken Holztäfer. Er spinnt Gedanken, von einem Ast zum anderen. Mal ist es sein närrisches Brüderchen, wenn er hört, wie es an der Brust der Mutter nach Luft schluckt. Mal ist es Seff, den er zu hassen beginnt. Wenn die Bündten wieder wachsen, schwört er heimlich, wird er dem Herrn Vater das Gras nicht wenden, wird die Kühe nicht striegeln, wird den Neugekalbten die Schnorre nicht in den Melkkübel zwingen, wird zur Herbstzeit nicht lauben. Aber die Nächte, wo es in der Schankstube so vielfach atmet, räuspert, murmelt, hustet, pfeift und schnarcht, die Nächte gehören Elsbeth, seiner Geliebten, der er das Leben gerettet hat. Dann liegt er wach und lauscht, wie ihr Atem dünn aus den Lippen bricht. In Gedanken riecht er das laubgelbe Haar, spielt mit ihren Ohren. Und er kneift die Augen zusammen, will das Pochen ihres Herzens zählen. Seine Gedanken werden ruhig. Manchmal durchbricht ein Zucken am Körper des Mädchens den vollendeten Frieden. Durch Elsbeths Träume ziehen nächtliche Feuerstürme und Bilder, in welchen sie nach ihrem roten Kater sucht, den sie nicht mehr finden kann. Dann möchte Elias aufstehen, sich über die Leiber der Schlafenden stehlen, hin zur Nulfin, zu deren Füßen das Mädchen liegt. Er möchte Elsbeths schweißkalte Hand in seine warme Achsel legen, möchte mit offner Hand ihre Stirn fächeln, aber der Mut wird ihm klein. Also summt er dem Mädchen in Gedanken ein Schlaflied. Darüber schlummert er selber ein.

Elsbeth und der Frühling

ALSBALD beschloß die Natur mit den meisterlichsten Farben in die Bergbündten zu fallen. Die Schründe und Brandmale auf ihrer Haut genasen und die Esche, ihr Lieblingsbaum, wuchs wieder und in großer Zahl und stark. Alsbald reckten die neuerbauten Höfe ihre Firste stolz hinaus ins Rheintalische, und das grelle Fichtenweiß der Schindelfronten wurde noch im Appenzellischen blitzen gesehen. Jene, welche durch die Katastrophe verlumpt waren, zornten seltener, und die unglückliche Witwe des Eduard Lamparter tat schon bei der ersten Schneeschmelze eifrige Gänge ins Haus des Kunrich Alder. Übers Jahr wurden sie Eheleute, und übers Jahr verlotterte Eduards Grab aufs schändlichste. Alsbald war das Weinen und Klagen vergessen, der Frühling trieb den Hochmut in die Geister, auf der Kirmes lachte man ob des vergangenen Übels, und in gewittrigen Nächten erzählte man den Seinen, auf welch erbärmliche Weise man ein Rind oder ein Kindlein habe verschmoren gesehen, gellte in der Stimme des Kindleins, oder übertraf sich in schmerzzerrißnem Gebrüll. Sosehr die Menschen im Vergessen schwelgten, allein die Spur jener Katastrophe grub sich unauslöschlich in die Seelen und führte noch jahreweit hinab in die dunkelsten Gründe ungezählter Alpdrücke.

Die Eschberger Bauern hatten nämlich begriffen,

was ihnen Gott mit dem Ersten Feuer hatte anzeigen wollen. Darum wurden sie nur noch sturer und verbargen nicht länger ihre Feindseligkeit wider Gott und die Heilige Kirche. Insonderheit Nulf Alder, denn er ließ seinen blitzenden Hof nicht wieder benedizieren. Wo einst der Herrgottswinkel gestanden hatte, dorthin zimmerte er einen Alkoven, und fortan ruhte Nulf Alder selbst im Herrgottswinkel.

Und Johannes Elias Alder war Mann geworden. Mit fünfzehn schossen ihm die Glieder aus, mit neunzehn hatte er die Gestalt eines reifen Mannes von vierzig Jahren. Er war hoch gewachsen, hatte zwei verschaffte und doch reife Hände, und wenn zur Heuzeit die Sonne sein Gesicht verbrannte, quollen die Sommersprossen über und über. Von der Mühsal des Heubürdentragens hatte sein Kreuzgrat Schaden genommen, die Haut seines Körpers war schroff und verhornt.

Elias brach den Schwur wider den Vater. Schon beim ersten Schnitt half er dem Seff grasen, rechte die struppigen Bündten sauber, molk das Vieh, zwang den Neugekalbten die Schnorre in den Melkkübel, und zur Herbstzeit laubte er die Hänge und ließ sich von keinem dabei helfen. Aber den einst so geliebten Seff, den Mörder des Meistenteils, mied er. Und seit diesem Tag mied auch Seff den Elias. Im Grunde hatte Elias mit den Seinen gebrochen. Der Bruder Fritz hatte ihm nie etwas bedeutet, das Elend der Mutter war ihm nie wirklich zu Herzen gegangen, ja er hätte nicht einmal geschnupft, wäre sie eines Tages kalt in der Bettstatt gelegen. Nur das närrische Brüderlein gewann er lieb. Er gab sich mit ihm ab, wann immer es die Zeit erlaubte, nahm es zu sich in den Gaden, lehrte es gehen, lehrte es eine Sprache aus Lauten und Tönen, die nur sie beide verstanden. Und als Elias in dem Idiotenkind eine hohe Begabung für die Musik entdeckte, da wuchs die Liebe nur desto mehr, und beide wurden sie Brüder bis auf die Seele.

Jedoch das Angesicht des Elias Alder behielt all die nervösen Züge der frühen Jugend. Da war nichts von Versöhnung auf seinen Mund gekommen, wenngleich er schöne und ebene Lippen besaß. Eine Mundfalte lag gegen die andere, und die breitflüglige durchaus ruhige Nase verlieh dem Antlitz nur desto größeren Unfrieden. Obwohl sein Schädel von guten Proportionen gemacht war – eine rare Auffälligkeit im Dorf – , verunstalteten die grellen Pupillen sogleich den Anblick dieses Gesichtes. Verglichen mit den gespenstischen Physiognomien des Eschberger Menschengeschlechts muß man den Elias dennoch einen schönen Mann nennen, und ein Lampartersches Plappermaul bemerkte ganz trefflich, daß der stattliche Herr dem seligen Kuraten Benzer wie aus der Form gestürzt sei.

Ab dem siebzehnten Jahr trug er sein mageres, abgebleichtes Haupthaar schulterlang. Auch entwickelte er eine gewisse Vorliebe für schwarze Gehröcke und hätte am liebsten überhaupt Schwarz getragen, wäre er nicht in den Ruf eines Pfaffenheuchlers gekommen. Er brachte sich einen prätentiösen kurzschrittigen Gang bei, und daran schliff er mehr als ein Jahr. Die Art seines merkwürdigen Gehens war das einzige, nach außen sichtbare Aufbegehren gegen die rohtappige Bauernwelt, in die er niemals hatte treten wollen. Und ob er es nun ahnte oder nicht, das Gehen bildete getreulich die Welt seines musikalischen Denkens ab. Denn die nächtlichen Musiken auf der Eschberger Orgel waren schlank erdachte, leichtfüßige Kompositionen, worin ein kurzer eiliger Gedanke den anderen einholte, erneuerte oder verkehrte. Es ist das Wesen eines jeden Genies, daß es Dinge mit großer Vollendung zuwege bringt, die es weder geschaut noch gehört hat. Und Elias hat niemals polyphone Musik gehört, denn Oskar Alder vermochte ja nur in dickgriffigen, hilflosen Akkorden zu präludieren.

Das nervöse Erscheinungsbild und die an sich gute Konstitution dieses Mannes möchten doch darauf zeigen, daß er irgendwann gegen die Welt aufstehen wird, oder mindestens eine zähe Rebellion im Herzen trägt. Von der Eigentümlichkeit seines Schrittes und dem fürchterlichen Sterben einmal abgesehen, hat dieser Musiker nie wirklich revoltiert. Er hat sein Leben angenommen, hat sich den Zeiten und Notwendigkeiten des Jahres ergeben, hat gearbeitet, bekam den üblichen Buckel, bekam Schwielen an den Händen, ohne darin Genugtuung, frohe Müdigkeit oder Hoffnung auf eine gute Zukunft zu erwarten. Er plackte auf dem Hof des Vaters, auf daß kein neues Aufhebens um seine Person entstünde. Den Schock seiner Kindheit hat er nie verwunden.

Was denn, hätten wir dem Elias raten können? Wenn einem Menschen von Anbeginn bedeutet wird, daß er zwar ein geniales Talent besitzt, es aber niemals wird vollenden dürfen, weil es die Gesetzmäßigkeiten eines verschwenderischen Planes will, so hätte sich an diesem Leben selbst in der Fremde, in der günstigen Umgebung einer musikliebenden Welt nichts geändert.

Gott ist stärker, denn er liebt alles Unrecht unter der Sonne.

In den Jahren nach der Katastrophe wandelte sich das Bild seiner Berufung zum Musiker. Seit der Nacht, in welcher er das Mädchen aus den Flammen gerettet, liebte er Elsbeth mit einer Kraft und Leidenschaft, die ans Unmenschliche grenzt. Er befand, daß es gut sei, sich für die Liebe zu entscheiden, Geist und Kraft eines ganzen Menschenlebens daran zu geben. Mit dem letzten Quentchen seines begrenzten Willens entschied er sich für Elsbeth und somit gegen sein musikalisches Genie. Weil ihm aber das Genie von Gott gegeben, entschied er sich gegen Gott.

Unser Leser, mit dem uns zwischenzeitlich ein Gefühl fremder Vertrautheit verbindet, will nun nicht denken, Elias habe aufgehört zu musizieren. Das Gegenteil ist der Fall. Er fing an, sein Talent auf das äußerste zu fordern, denn er spielte für Elsbeth. Er ließ sich zweimal die Woche im Kirchlein einsperren und erlernte aus eigenem die Kunst des Orgelspiels. Er brachte sich durch zähe Etüden einen gelenken, ja schwindelerregenden Fingersatz bei. Und als die Hände endlich ausgewachsen waren, vermochte jede in – man staune recht – Dezimgriffen und noch dazu im Prestissimo auf- und niederzufegen. Das Pedal pflegte er lediglich mit den Fußspitzen zu spielen, brachte es vermöge seiner präzisen Fußhaltung zu vollendeten Legati. Als ihm das ewige Hin- und Herlaufen zwischen Spieltisch und Blasebalg verleidete, zog er den Peter in sein Vertrauen, bat ihn, sein Balgtreter zu werden. Peter tat es willig, denn zu jener Zeit hatte er sich bereits in Elias Alder verliebt. Als er der stupenden Improvisationskunst seines Freundes zum ersten Mal beiwohnte, bekam er es mit wahrer Angst und vergaß darüber den Blasebalg nachzutreten. Wie einst in der Kindheit, wo er unterm Fenstergaden gestanden hatte, in ihm die kalte Faszination am Andersgearteten erwacht war, so bestaunte er aufs neue diesen unheimlichen Menschen. Der Puls donnerte ihm in den Handballen, als Elias zu ihm herüberlächelte und ihn bat, er möge doch ein Urteil über das Gespielte abgeben.

Peter brachte kein Wort heraus. Er hätte aufschreien und sich vor Sehnsucht an den Körper des Freundes werfen mögen. Er müsse, fieberte es in seinem Kopf, den Elias zu seinem Allerliebsten machen, müsse ihn jetzt und alle Zeit in seiner Nähe haben. Wie könne er noch leben ohne ihn?

Es ist zu berichten, wie unser Musiker in einer nächtlichen Gewaltanstrengung das ganze Instrument auseinanderlegte. Vom steten Wetterumschlag, von Trockenheit und Nässe, Ruß und Talg war die Orgel derart kümmerlich verdorben, daß etliche Tasten schon niederhingen, die Kanzellen undicht geworden und die Pfeifen so entsetzliche Heuler ausstießen, als tönten die Posaunen vor Jericho. Das mochte er nicht länger mitanhören, und so trug er Böden und Wände, Balken und Leisten ab, löste die Tasten, Winkelhaken und Zugruten, die Ventile und Konterventile, nahm eine Pfeife nach der anderen aus ihrer Windlade und ging daran, jedes Teil der Orgel vom Staub der hundert Jahre blankzupinseln. Die Empore glich einer Werkstatt, in der ein Schmied, ein Lohgerber und ein Holzschnitzer gleichzeitig schafften. Jeden Griff und jeden Schritt verzeichnete er in säuberlichen Plänen, und nicht das winzigste Leder ging ihm abhanden. Nach Reinigung und Restauration aller Teile machte er sich mit unendlichem Geschick und unbestechlichen Ohren daran, die Register einzustimmen. Nahm zwei selbstgefertigte Hörner, konisch und konkav, bosselte die Pfeifen, dressierte die Spünde mit vorsichtigen Hammerschlägen, indessen Peter geduldig die Tasten niederhielt, so lange, bis die Schwebung des betreffenden Tones immer geringere Wellen warf und endlich ganz verebbte. Zur Frühmesse stand und prangte eine neuerbaute Orgel im Kirchlein. Die Freunde blieben bis zum Angelus auf der Empore, denn es währte noch geraume Zeit, bis Elias die Balgnähte und Ladenfugen abgedichtet hatte. Er tauchte den Haarpinsel ins Mehl, bestrich die Fugen, und wo das Mehl auch nur im geringsten abstäubte, hielt er inne, nahm ein Stückchen Schafleder und leimte es mit heißem Knochenleim auf den zerfressenen Punkt.

Im stillen Mittagszauber schlichen die Freunde dann über Umwege auf ihre Höfe. Elias, verstaubt und verdreckt, entsann sich des Schwurs, den er vor dem Herrgott getan, als er die erste Nacht auf der Orgel verbracht hatte. Er wolle nicht ruhen, bis daß sie ihre Seele wiedergefunden habe. Nun mochte er ruhen, und im Gaden heulte und jaulte Philipp vor Freude. Elias pfiff, hieß den Idioten schweigen. Und der Idiot schwieg.

Grausig war das Erwachen des Oskar Alder. Beim Präludium besprang ihn teuflische Angst, beim Kyrie beschlugen die Augengläser, beim Gloria glitten die schweißnassen Finger vom Manual, und beim zweiten Gloria – Kurat Beuerlein vergaß hinterher, was vorher gewesen war – befiel ihn Atemenge und er klappte ohnmächtig vom Orgelbock. Zwei frech grinsende Gesichter hoben den Riesen sogleich auf den Bock hinauf, ein eilfertiger Alder fischte nach Sacktüchern, spuckte drauf und betupfte die bläulich schimmernde Beule an des Organisten Stirn. Von da an durfte Elias den Blasebalg nicht mehr treten und von da an wurde Oskars Spiel nicht mehr entschuldigt, denn die neue Orgel verschrie den kleinsten Patzer auf das allerhellste. Nulf Alder, der seit der Brandkatastrophe nicht mehr zum Amt ging, fällte im Gasthaus zum Waidmann ein überhaupt vernichtendes Urteil. Oskar sei ein unmusikalischer Fallott. Das habe er immer schon gewußt, siket erat et prinzipus in nunk und semper! Niemand tröstete mehr den Ärmsten, und man erniedrigte ihn so lange, bis daß er sich im Schnapsrausch wieder erhöht hatte.

Wenn Elias musizierte, musizierte er für Elsbeth, entwarf Musik, die den Duft ihres laubgelben Haares einfing, das Beben des Mündchens, den piepsigen Klang ihres Mädchenlachens, oder das Knacken der Falten im blauen Damastschürzchen. Er stahl dem Kind ein Geheimnis nach dem anderen und sei es das flüchtigste, aber immer wiederkehrende Hinken des rechten Beinchens, ein flinkes Wölben der Nasenflügel, ein harmloser Anflug von Gänsehaut, oder die ersten Schimmer aufkeimender Stirnröte. Er lauschte dem Kind Worte und Sprechmelodie ab und kam vermöge seiner imitatorischen Gabe bald dahin, nach Elsbeths dunkler Art zu sprechen. Wir müssen uns vor Augen bringen, daß unser Mann ein Kind von sieben Jahren liebte. Freilich, vorerst ohne irgendein erotisches Begehren, wenngleich ihn die Sehnsüchte des Körpers schon damals malträtierten. Darum suchte er Zerstreuung in der Arbeit, plackte sich müde in der Meinung, es möchte mit der Müdigkeit auch die Wollust absterben. Als aber das Mädchen den Tag ihrer ersten Reinigung erlebte und sich alsbald ihr lilienblaues Mieder zu wölben begann, da verspürte Elias einmal den verzweifelten Mut, ihm ganz nebenher durchs Haar zu streichen. Und er tat es und wusch sich so lange nicht mehr die Hand, bis er den Stallgeruch ihrer Strähnen nicht mehr auffinden konnte.

Elsbeth war ein stilles Kind von ausgeglichener Art und gutem Charakter, was erstaunen muß, wenn man dazu den Vater betrachtet, ein gemeiner Rohling, ein niederträchtiger Kerl voller Mißgunst gegen die Seinen und gegen die Welt. Aber Elsbeth schlug nach der Nulfin, und die Nulfin war ein Weib, welches die bösen Launen des sonntäglich berauschten Mannes geduldig ertrug, welches nicht flennte, wenn es geschlagen und geschändet wurde, welches über alle Demütigung zu ihrem Gatten stand, ihm die Sünden still verzieh, für die er aus eigenem nie um Verzeihung gebeten hätte. Sie war schwach, und wenn die Kinder bei ihr Zuflucht suchten, stieß sie sie von sich, aus Angst vor dem Tobsüchtigen. Vieles von der Nulfin lag in Elsbeth. Wie sich die Mutter in Gedanken eine lebenswertere Welt ersann, so träumte auch Elsbeth ihren Traum, darin dereinst ein Bursche aus der Fremde kommen, mit ihr durch die Morgennebel des Rheintalischen reiten, ihr die Hände küssen, ihr den Schleier übers Haupt streifen und den verfrorenen Mund mit Küssen beleben würde. Kurz gesprochen: Das Mädchen sah mit liebenden Augen. Und obwohl der Bursche da war – gekommen aus einer ganz anderen Fremde –, sah es ihn dennoch nicht.

Das geschah im Frühling des Jahres 1820. Damals war Elsbeth dreizehn Jahre alt, war ein schönes, sehr zierliches Fräulein, hatte einen auffällig dunklen Teint und drum schon im März ein sonnenverbranntes Gesichtchen. Sie war kleingewachsen und blieb es ihr Leben lang. Das und ihr hübsches Antlitz, dem ein Knollennäschen noch besonderen Charme verlieh, verleitete manchen Kerl zu plumpen Verniedlichungen. Man sah in ihr das entzückende Frauenzimmer, mit welchem man gern eine Amour gehabt, dem man jedoch niemals Geist und Verstand zugebilligt hätte. Aber schon als Mädchen besaß Elsbeth einen gewissen Verstand, wußte traumwandlerisch, welcher Umgang ihr schadete, nützlich oder hilfreich sein konnte. Sie war klug von Anbeginn, mied den Vater und den Bruder ebenso. Trotzdem ist ihr ein Vulgäres in der Sprache geblieben. Feingewobenes hatte sie nie gehört, bis zu dem Tag, an welchem Elias Alder in ihr Leben trat.

In ihr Leben war er getreten, als er ihr Leben gerettet hatte. Nur deshalb duldete Nulf den Gelbseich im Haus. Im Frühling des Jahres 1820 wanderte Elias fast täglich hinüber und verlangte nach Peter, seinem Freund. In Wahrheit sehnte es ihn nach Elsbeth. Das Mädchen mochte den großen Herrn im schwarzen Gehrock gut leiden. Sie empfand Respekt vor seinem Alter, genoß die Manierlichkeit seines Ganges und seines Redens. Denn wenn er redete, war selbst das noch Musik.

In den Monaten jenes besagten Frühlings geschah ein sonderlicher Vorfall in Eschberg. Wie so oft vermochte ein geringfügiger Anlaß die Bewohner in derartige Hysterie zu versetzen, daß sie über Nacht entweder zu Heiligen oder zu Mördern werden konnten. Anlaß war die Rede eines sogenannten Schaupredigers. Schauprediger zogen damals zuhauf durchs Land, ihre Berufung und ihr Charakter waren in jedem Fall sehr zweifelhaft. Dessenungeachtet empfanden sie sich als neue und wahre Kirche Christi und wurden darob von der alten und wahren Kirche Christi bitter angefeindet, durften die Gotteshäuser weder betreten noch in ihnen predigen.

Der Schauprediger Corvinius Feldau von Feldberg – gewiß ein Pseudonym – war ein wüst aussehender Mann von etwa dreißig Jahren, hatte ein verschlafenes Gesicht und rotes, struppig verlegtes Haar. Bekleidet war er mit bloßem Lammfell – zwei Weiber wollen darunter sein Geschlecht baumeln gesehen haben. Dieser Corvinius kam zu Palmsonntag ins Dorf und hielt vor dem Kirchlein eine Schaupredigt, die den Bauern von Eschberg durchaus schlecht bekommen ist, wie man im folgenden ersehen kann.

«Freue dich des Weibes deiner Jugend», hub der Rotschopf gähnend an, «sie ist lieblich wie eine Hinde und holdselig wie eine Rehe. Laß dich ihrer Liebe allezeit sättigen und ergötze dich allewege in ihrer Liebe.» Und der Prediger fing an, die Worte Salomonis mit einer Drastigkeit zu erläutern und zu illustrieren, daß bald jedem der Atem stockte. Er sei, sprach er jetzt wacher, ein Apostel der Liebe. Nichts zähle mehr in dieser schnöden Welt, denn die Liebe. Es gelte kein Gesetz mehr. Jeder, alt und jung, solle sich dem Rausch der Wollust hingeben. Das Ende sei nahe, ein riesiges Mohrenheer stünde schon jenseits des Arlbergischen. Wer ein Weib habe, nehme es und lasse nicht mehr von ihm ab. Die Kinder sollen sich begatten und die Greisen. Die Ehe sei, das schwöre er, der Apostel der Liebe, für immer aufgehoben. Die Welt sei von den Fesseln erlöst. Begehre ein Weib zwei Männer, so nehme sie getrost deren drei. Begehre ein Mann das Weib des andern, das Rind oder die Kuh, so sei es.

Bei derartigem Reden steigerte sich der Rotschopf in orgiastisches Geschrei und tat die obszönsten Verrenkungen seines Körpers, als er mit geilem Wortschwall den Akt der Begattung bei Tier und Mensch zu verbildlichen suchte. Und es wurde still in der Runde, und ein schwerer Atem drang aus den breitflügligen Nüstern. Die Brüste der Weiber quollen auf, und manch einem starrte der Hosenlatz. So etwas hatten die Menschen noch nicht erlebt, daß einem durch eine Predigt die Wollust entzündet werden konnte.

Auf dem Höhepunkt seiner Äußerungen angelangt, tat er so wüste Aussprüche, daß verschiedentlich die

Weiber in grelles Lachen und Kreischen verfielen. Denn wer sich für immer der Liebe verschrieben, krächzte er, nur der gehe ins Paradies. Seine Stirn zeigte schon dunkles Geäder und man wähnte, der Prediger müsse vor Erschöpfung zusammenbrechen. «Nicht einen Augenblick dürft ihr ruhen!!» schrie er aus entzündeter Kehle. «Wer auch nur eine Stunde seines Lebens ohne Liebe zubringt, dem wird sie im Fegefeuer dazugeschlagen. Nicht mehr schlafen dürft ihr, denn im Schlafe liebt ihr nicht. Seht mich an!! Seit zehen Tagen und Nächten schlafe ich nicht mehr!!» und mit den Worten «Wer schläft, liebt nicht!!» brach der Schauprediger Corvinius Feldau von Feldberg endlich ohnmächtig zusammen.

Die Schaupredigt des Scharlatans wirkte auf etliche Gemüter durchaus ungünstig. Das Taufbuch des Jahrs 1820 registriert im Monat Dezember insgesamt zwölf Kindestaufen, die Sterbematriken berichten von «dreien Weipern, welche nach Kintsmord ohn' Seligkeit verschiden».

Es ist seltsam, daß just das Erscheinen dieses rohen, die Unzucht predigenden Menschen Herz und Geist unseres Musikanten zu verkehren vermochte. Wenngleich Elias nicht die ordinäre Absicht erkannte, welche andere erkannt hatten, begriff er doch das unglaublich Anarchische der Worte, unter welchen der Rotschopf zusammengebrochen war. Tatsächlich hat Elias Alder in dieser und der darauffolgenden Nacht nicht geruht, sondern all sein Denken und Sehnen um die junge Elsbeth geschart. Er ist ins Gebirg gewandert, hat unter dem schon österlich vollen Mond Gott gedankt für sein Leben, von dem er nun wußte, daß es die endgültige Bestimmung gefunden hatte. Hat sich zuweilen auf das schwarze Gras noch schwacher Bergbündten gelegt, die Arme und Beine weit gespreizt, geweint und gesungen: «Wer liebt, schläft nicht! Wer liebt, schläft nicht!» Hat die Finger ins Gras gekrampft, als müßte er sich festhalten an dieser großen, runden, schönen Welt. Nein, er wollte nicht mehr von ihr lassen, denn auf dieser großen, runden, schönen Welt wohnte Elsbeth.

Gern hätte er eine weitere Nacht im Gebirg zugebracht, hätte nicht Philipp so untröstlich geträumt. Der Idiot ließ sich nicht mehr trösten, heulte hündisch und ohne Ende.

Um die Mittagswende des Gründonnerstags taten sie zum ersten Mal eine gemeinsame Wanderung. Gemeinsam will sagen: Elsbeth und Elias, dazu das närrische Brüderchen und immer verstohlen Peter, denn er folgte ihnen schon am ersten Tag. Anfänglich mit den Augen. Sah, daß sie den Pfad zur Emmer nahmen, und da sie verschwunden, litt es ihn nicht mehr. Vielleicht hat Elias es am merkwürdigen Rascheln im Unterholz gehört. Vielleicht hat er Peters Schatten einmal in der Lichtung gesehen, oder ein Atmen in dichter Nähe vernommen. Jedenfalls wußte Elias, daß er ihnen in guten Abständen folgte. Und er schwieg dazu.

Er hatte sich gewaschen, dem Vater ein gestärktes Hemd gestohlen, zwei Tropfen von Mutters längst trüb gewordenem Rosenöl an die Schläfen getippt, die Schuhe gewichst und ins Gehstöckchen ein doppeltes ‹E› mit barocken Lettern geritzt. So empfing er sie, hätte ihr gern den Arm gegeben, damit sie ihr Ärmchen unterhaken möchte, wenn der Pfad steil und knorrig würde.

Seff, der im angrenzenden Weiler eine Frühlingsbündt zäunte, sah die drei ungleichen Menschen. Ein wehmütiger Glanz trat ihm in die Augen, als er nach dem schwarzen Gehrock blickte. Er ließ den Holzschlägel zu Boden sinken, bewegte die Lippen, spitzte sie kurz, als wollte er seinem Sohn etwas zurufen. Er hätte ihm zurufen mögen: «Bub! Wirst du es denn nie vergessen?» Dann grub er die Finger in seinen dünnen, erdbraunen Kinnbart, und wieder hörte er das Geschrei des brennenden Roman Lamparter und wieder befiel ihn schmerzliches Kopfgrimmen. Seit jener Mordtat trug Seff einen ungestutzten Vollbart, als wollte er sein Gesicht dahinter verbergen machen.

Elsbeths Augen blitzten neugierig. «Ist es weit zu diesem Steine?» frug sie munter und löste ihr blaues Damastschürzchen.

«Es kömmt mir zuweilen weit und doch wieder so nah vor», sagte Elias mit langgestrecktem Hals und bemühte sich, dem manierierten Gang eine tänzelnde Figur zu geben. Philipp, der hinterdrein lief, sah das mit Freuden und suchte den Bruder zu imitieren, was Elsbeth zu herzlichem Lachen veranlaßte.

«Kleiner Philipp!» scherzte Elsbeth, «du wirst einen guten Tänzer abgeben. Wenn zur Kirmes die Geigen und der Tamburin kommen, werden wir tanzen, nicht wahr?» Elsbeth nahm das Kind, hob es an ihre Brust und fing an, den «Mai mit lieber Pracht» zu singen.

In diesem Augenblick wünschte sich Elias, er wäre Philipp, würde so von diesem jungen Weib getragen und gewogen. «Halt ein!» rief er plötzlich. «Da kömmt mir eine Melodie!» Elsbeth verstummte und sah ihn an. «Jetzt gib einmal acht! Du singe nur immer das Lied fort. Ich werde darüber und darunter singen. Sei aber streng und verliere mir die Töne nicht!» Elsbeth begriff nicht, was er im Sinn hatte, wollte nicht singen, weil er ihr so akkurat gelauscht hatte. Nach dringendem Bitten fügte sie sich doch und sang wieder den «Mai mit lieber Pracht».

Da geschah für die Ohren des Mädchens etwas schier Unglaubliches, ja Unheimliches. Indem sie sang, hub Elias plötzlich mit ihrer eigenen Stimme an zu singen. Darüber erschrak das Mädchen derart heftig, daß ihm Philipp beinah aus den Armen rutschte. Elias fing beide mit starken Armen auf und versuchte mit schamrotem Gesicht in Elsbeths Augen zu lächeln. «Viele müssen erschrecken, hören sie den Klang ihrer eigenen Stimme», sagte er dunkel. «Du mußt wissen, daß ich nahezu alle Stimmen unseres Dorfes kenne. Und ich habe entdeckt», flüsterte er, «daß man am bloßen Klang einer Stimme den Charakter lesen kann.» Elsbeth sah ihn entsetzt an und wußte nicht, sollte sie sich mehr vor dem Menschen fürchten als vor dem grellen Gelb seiner Pupillen, welche sie aus dieser Nähe noch nicht gesehen hatte.

«Warum ängstigst du dich? Ich kenne deine Stimme seit langer Zeit. Sie ist schön und hat ein gutes Herz darin.» Und um das Mädchen zu zerstreuen, gab er ihr einige komödiantische Proben seines imitatorischen Talents. Er traf die blecherne Stimme des Köhler Michel so trefflich, daß Elsbeth bald wieder lachen mußte. Und als er das nasale Wimmern in des Kuraten Stimme auf den Ton nachempfand, entglitt ihr vor Staunen ein spitzer Aufschrei.

«Wo hast du das nur her?» fragte sie jetzt gelassener.

«Es ist alles eine Sache des Hörens», antwortete er stolz. «Auch du könntest vieler Weiber Stimmen sprechen, wenn du nur wolltest.» Und er mußte ihr versprechen, sie bald in das Geheimnis der Stimmenimitation einzuführen.

Der Wald begann sich zu lichten. Hie und da wuchs an sonnigen Uferstellen junges Schilf. Die Emmer spiegelte das satte Grün des Mischwaldes, und das Wasser roch nach dem Schnee des Kugelbergs, woher die Emmer ihren Ursprung nahm. Übers Jahr hatte der Bergbach verschiedentlich neue Kurven gezogen. Den neuen Verlauf beobachtete Elias mit sichtlicher Traurigkeit. Wo er noch im Sommer an einer bestimmten Uferböschung gesessen hatte, dort würde er nie mehr in seinem Leben sitzen können, weil der Bach dort nicht mehr vorbeifloß. Der unablässige Wechsel des Bachlaufs gab ihm ein Gefühl für das Vergängliche, gab ihm das Gefühl seiner eigenen Lebenszeit.

«Siehst du den großen, glatten Stein dort?» fragte er Elsbeth, die sich eben eine günstige Möglichkeit für das Übersetzen des Baches suchte.

«Wo?» fragte sie achtlos, tat einen mißlungenen Sprung und stand mit einem Schuh im Wasser. Sie stieß einen kurzen, rohen Fluch aus, griff nach den Weidenruten und rettete sich ans Ufer. Elias hatte den Philipp geschultert und übersetzte die Emmer gezielt und sicher.

«Dort oben ist mein Ort!» rief er mit beinahe preisender Stimme. Philipp auf seinen Schultern tat bei diesen Worten ein leises gutturales Gellen, denn er spürte die Freude im Herzen des Bruders.

Der wasserverschliffene Stein lag unbeweglich und majestätisch wie eh und je. Er glich einer riesigen, versteinten Fußsohle, so als hätte vor grauer Zeit Gott selbst einen Schritt auf diese Welt getan. Elias hieß das Mädchen sich verschnaufen, nahm das Kind von den Schultern, öffnete seinen Gehrock und breitete ihn auf den Stein. Sie ließen sich in gebührlichem Abstand nieder, indessen Philipp munter zwischen den beiden hin-

und herkroch. Elias blickte lange Zeit unverwandt in das tiefe Grün des kleinen Tümpels unter seinen Füßen, und für einen Moment dünkte es Elsbeth, als hätten seine Augen eine graugrüne Farbe angenommen. Aber es war ja nur der Widerschein des Baches.

«Was ist an diesem Stein denn Sonderbares?» frug sie, noch immer kurzatmig.

Er sah sie an, die Augen glitten ihm auf ihre trockenen Lippen und hinab auf das kreuzverschnürte Mieder, darunter sich ihre kleinen Brüste abzeichneten. Elias schämte sich ob des unzüchtig entglittenen Blicks, wollte die Augen niederschlagen, aber sie gehorchten ihm nicht. Als er die blassen Hände betrachtete, wie sie ungeduldig in ihrem Schoß lagen, der Blick weiter hinab auf die baren Knie glitt, welche der aufgeschlagene Saum ihres Rockes zeigte, und als er am weichen Haarflaum ihrer Schienbeine entlangstrich, da schwanden ihm fast die Sinne. «Führe uns nicht in Versuchung, sondern erlöse uns von allem Übel!» donnerte es im Kopf. «Man darf ein Weib mit Augen nicht begehren!» hörte er den Kuraten aus der Ferne predigen. Oh, er wolle Elsbeth ein guter und ehrenhafter Mann werden! Und wenn Gott und die Heiligen ihm die Kraft dazu gäben, würde er sie sein Lebtag nicht begehren. Er wolle ihr zeigen, daß die wahre Liebe nicht das Fleisch sucht, sondern sich ganz an die Seele verschenkt.

«Was hat es mit diesem Stein auf sich?» tippte ihm Elsbeth nun schon zum zweiten Mal an die Schulter. Und Elias erwachte und hub an zu erzählen. «Von diesem Ort geht eine sonderliche Kraft aus. Ist immer schon ausgegangen. Schon als Kind hat mich dieser Stein gerufen. Ich habe gehorcht, bin von der Bettstatt aufgestanden und hierher gekommen. Ich weiß es ganz gewiß, daß der Stein lebt. Und immer, wenn ich traurig war, hat er mich getröstet. Du wirst mich wohl für irrsinnig halten, liebe Elsbeth», sagte er unsicher, «aber ich glaube, daß man von diesem Punkt in den Himmel kömmt. Daß alle Menschen unseres Dorfes, wenn sie gestorben, hier herabsteigen müssen und warten, bis der Herrgott ihnen die Wolken aufschließt.»

Indem er redete, entstand eine merkwürdige Stille um sie herum. Philipp war ruhig geworden und glarte mit milchigen Augen auf den Bruder. Auch Elsbeth blickte reglos auf Elias' schmächtiges Gesicht. Als Elias das Mädchen so blicken sah, empfand er wieder jene Gewißheit, die er damals im Gebirg empfunden hatte, als er sich vor lauter Glückseligkeit im nächtlichen Gras hatte festhalten müssen. «So sieht nur ein liebender Mensch», wähnte er frohlockend. Elsbeth aber sah ihn mit Augen der Bewunderung und großen Erstaunens. Er hatte sie in seinen Bann gezogen, denn so ein Reden, geschickt und worin jede Silbe wie Musik klang, hatte sie noch von keinem Mann gehört. Elsbeth staunte, und Elias meinte, sie habe sich in dieser Stunde in ihn verliebt. Nur ein wirklich Liebender kann sich so grausam irren.

Ein kühler Wind wogte durchs Emmertal und machte Elsbeth frösteln. Elias beschloß, den Rückweg anzutreten. Er gab ihr seinen Gehrock, in den sie mit einem dankbaren Lächeln ganz hineinschlüpfte. Philipp sah, daß ihr der Rock viel zu lang war, ergriff die Schleppe mit tappigen Händchen und lief stolz seiner Prinzessin hinterher.

«Was meinst du, Elias», wollte Elsbeth wissen, «gibt es hier Kobolde und Dämonen?» Und sie fügte hastig eine Episode bei, welche der Lehrer in der Dorfschule einmal erzählt hatte, wonach zu mitternächtlicher Stunde Hexen auf dem Petrifelsen Sabbat abhielten. Der Lehrer habe ihnen gesagt, daß vor langer Zeit ein böses Weib in Eschberg gehaust habe, das man um Haaresbreite verbrannt hätte.

«Ich bin oft auf den Petrifelsen gewandert, auch zur Nachtzeit», sprach Elias gelassen, «aber eine Hexe ist mir nicht begegnet. Es sind wohl die Rufe und Laute der Waldtiere, welche die Menschen schrecken.» Und dann fügte er nachdenklich hinzu: «Oder es ist das Gewissen, das den einsamen Wanderer quält, die Untat, die er des Tags begangen, und die jetzt vielleicht mit hundert Fragen in ihm hallt?» Und bei diesen Worten trat ihm Seffs Antlitz vor die Augen. Elsbeth verstand nicht, was er damit meinte und sprach mit starker Stimme, daß Gott nicht mehr Böses zulasse, als man verdiene und ertrüge. Zwar sei sie dessen sicher, daß es Dämonen gebe, doch habe die Heilige Jungfrau Maria Gewalt, diese zu vertreiben. Das habe ihr die Frau Mutter versichert.

Sie redeten fort, erwogen gemeinsam das Für und Wider des Dämonenglaubens und ahnten nicht, daß ihnen ein lebendiger Dämon folgte: Peter mit samtenen Schritten. Er konnte nicht verstehen, was sie sprachen, aber sein kümmerliches Gesicht zeigte Zerknirschung. Mochte es wirklich geschehen sein, daß sich die Schwester in den Gelbseich verliebt hatte? Wieder musterte er die schlanke Statur des Elias, betrachtete das schulterlange Haupthaar, spähte sehnsüchtig auf seine Lenden hinab. Am Ostersonntag, beschloß er, wolle er den Lukas Alder ins Haus bringen. Und er sann darüber, wie die Sache günstig anzufangen sei.

Noch gar manches besprachen die beiden freund gewordenen Menschen, ehe sie um die frühe Abendstunde auf ihre Höfe zurückkehrten. Elias verwunderte sich über die Klugheit des Mädchens, und nicht minder oft staunte Elsbeth. Auf der letzten Wegstrecke stimmte er ein Passionslied an, und Elsbeth fiel nun ohne Furcht mit ein, ja konnte sich nicht mehr satt hören an dem schier endlosen Erfindungsreichtum der Melodien, die er unter und über ihre Singstimme legte. Als er das Mädchen zum Gartenzaun geleitete, eröffnete er ihm, daß er einmal Organist von Eschberg werden wolle. Später, gesetzt die Arbeit auf dem Hof gestatte es ihm, gesetzt der Lehrer Oskar Alder würde ihm das Orgelspiel beibringen. Nicht zwei Tage sollten verstreichen, und er würde durch einen glücklichen Zufall der Eschberger Welt seine Kunst vorführen dürfen.

Inmitten der Nacht erwachte Elias aus dem Schlaf. Er hatte geträumt, daß ihm Elsbeth erschienen war. Sie hielt ihre Brüste entblößt und drückte sie in seine offenen Hände. Die Hand, die im Schlaf aus Gewohnheit auf dem Geschlecht ruhte, war nun benetzt. Elias langte nach dem Zunderpilz und entfachte die Kerze. Verstört blickte er auf das kleine Rinnsal im Laken. Er konnte sich keinen Reim darauf machen. Nachdem er die Kerze gelöscht, schlief er mit ruhigem Herzgang und großem Frieden ein.

Nun ist zu erzählen, was sich in der Nacht des Karsamstags und an dem darauffolgenden Ostermorgen ereignete. Damit eröffnen wir gleichzeitig das wohl glücklichste Kapitel im Leben unseres Helden.

Wie überall in der christlichen Welt, so feierten auch die Eschberger zu mitternächtlicher Stunde das Wunder der Auferstehung Christi. Nach altem Brauch zogen Kurat und Ministranten in das noch vollends finstere Kirchenschiff ein, entzündeten das Licht der Osterkerze und gaben es mit behutsamen Händen von

Kerzlein zu Kerzlein, so lange, bis das ganze Schiff hell erleuchtet war. Wer sich an den Kuraten Elias Benzer am Beginn unseres Büchleins entsinnen mag, dem dürfen wir müßig mitteilen, daß naturgemäß das Kerzenbrennen der wichtigste Bestandteil der Feier darstellte. Ja Kurat Benzer kostete diesen Akt bis zum gefährlichen Ende aus, denn manch einem müden Mägdlein oder Alten hat die Kerze das Haar versengt. Kurat Beuerlein hingegen handhabte die Sache kurz und wollte schon beim zweiten Lumen-Christi zur Weihnachtspredigt übergehen. Das aber verhinderte der Köhler Michel, den man zwischenzeitlich zum Mesmer von Eschberg bestellt hatte. Wie wir wissen, war der Kurat nicht mehr in der Lage, eine Messe zu beginnen, geschweige sie zu endigen. Übrigens hat der Köhler Michel das Ministrantenamt auf gar bübische Weise mißbraucht, indem er dem Kuraten Zettel mit Versen und Gedichtlein ins Meßbuch schob, die zwar geistlich gestimmt, jedoch mit dem Kanon der Liturgie nichts mehr gemein hatten. Der Köhler Michel vereitelte also die Predigt und stimmte mit blechtöniger Stimme das Gloria-in-excelsis-Deo an. Nun sollte die Orgel in vollen Registern den Auferstehungschoral intonieren, aber sie schwieg. Elias, der auf der Epistelseite stand, zuckte zusammen. Wenn nämlich Oskar Alder dickfingrig präludierte, gestattete er sich den Spaß, im eigenen Kopf auch ein Präludium zu ersinnen und sich daran zu ergötzen, wie es sich verglichen mit dem anderen ausnehmen möchte. Nur so konnte er das hilflose Spiel des Organisten ertragen. Jetzt aber herrschte Stille und ein gespanntes Warten.

Indessen präludierte es in Elias auf phantastische Weise. Er dachte sich den Choral auf folgende Weise einzuführen. Erst sollte in tiefen Gedacktakkorden die

Trauer der Drei Marien am leeren Grabe dargestellt werden. Dann setzte der Baß mit einer chaconneartigen Linie ein, welche sich auf Sekundschritten aufbaute und das zähe Wegrollen des Steins ausmalen sollte. Der dritte Teil erst brachte in jubelnden Aufwärtsläufen und fanfaresken Akkorden die Gewißheit, daß Christus wahrhaftig auferstanden war. In den Siegestaumel mischte sich die Melodie des Chorals, und der Choral wurde zu einem breiten Strom unglaublich kühner Harmonien. Diese Kühnheit der Harmonien, worin das Unerwartete, das Nicht-zu-Glaubende sich ereignet, sollte dem noch zweifelnden Christen anzeigen, daß Christus das Unsägliche vollbracht hatte: die Auferstehung von dem Tode. Welch eine geniale Musik!

Doch die Bauern hörten nichts von alledem. Man fing an, sich ungeduldig zu räuspern und nach der Empore zu schielen. Endlich beherzte sich der Michel und stimmte den Choral an. So feierte man die Ostermesse a cappella, und es nützte nichts, daß Peter den Elias immer wieder in die Seite zwickte, ihm zuflüsterte, er solle doch endlich die Empore besteigen. Elias wurde bei diesem Gedanken nacht vor den Augen. Konnte es sein, daß nun seine Stunde gekommen war? Nein, das konnte nicht sein!

Noch vor dem österlichen Halleluja stahl sich ein Lampartersches Plappermaul aus der Kirche und pirschte sich zu des Oskar Alder Hof. Es guckte ins Stubengaden, wo ein ärmliches Lichtlein flackerte. Und es sah den Riesen bäuchlings am Boden liegen, aus der Nase rann ihm schwarzes Blut, und das Blut war eine große Lache. Um den Riesen herum lagen sechs Branntweinflaschen – Oskar Alder hatte sich ohnmächtig gesoffen.

Wir haben den Lehrer früher als einen neidvollen Mann beschrieben, der sich selbst als bedeutenden Musicus empfunden hat. In einem Punkt aber müssen wir diesen Mann aber doch respektieren: Er war von zutiefst musikantischer Seele. Daß durch die neu gestimmte Orgel sein fehlerhaftes Spiel selbst die unmusikalischsten Ohren schmerzte, das hat er nie verwinden können. In der ungelenken Faust pulsierte ein empfindsames Herz. Oskar Alder ist daran zerbrochen, und wir dürfen sein Schicksal vorwegnehmen: fünfzehn Tage nach Ostern fand ihn sein Weib tot in der Scheune. Er hatte sich an einer Kälberkette erhängt. Zu seinen Füßen lag ein Zettel, worauf in verzweifelt gezeichneten Lettern geschrieben stand, daß er immer trefflicher Spielmann Gottes habe sein wollen. Aber man habe ihn und seine Kunst verschmäht, drum fahre er jetzt zum Teufel – Gott zu Fleiß.

Am Ostermorgen wußte bereits das ganze Dorf, weshalb die Orgel nächtens geschwiegen hatte. Elias witterte seine große Stunde. Darum plazierte er sich mit Peter in der hintersten ihm so vertrauten Bank der greisen Tabakkäuer. Von dort war es nur ein Satz zur Stiege der Orgelempore. Ängstlich wartete er ab, vielleicht daß der Lehrer doch erscheinen könnte. Aber der Lehrer erschien nicht, und das Kyrie ging trostlos a cappella vonstatten. Da wagten er und Peter sich auf die Orgel.

Gewaltig staunte das Kirchenvolk, als plötzlich beim Gloria die Orgel aufbrauste und mit jubelndem Fingerwerk anzeigte, auf welche Weise sich ein Christ über diesen Tag zu freuen habe. Elias spielte eine mächtig ausholende Toccata, die in einem fünfstimmigen Fugato über die Melodie des Kirchenliedes endete. Als er jedoch zum eigentlichen Choral ansetzte, fand sich niemand, der mitsingen wollte. So heftig waren die Bauern erschrocken. Darum erhob Elias selbst die Stimme und begann mit kraftvollem Baß das Gloria zu singen. Als die Minute des Schreckens ausgestanden, wagten einige Stimmen in den Gesang miteinzufallen. Sie mußten aber bald abbrechen, denn die Art dieser Musik verlangte ihren Ohren das alleräußerste ab. Jedoch im Gottesdienst das alleräußerste zu geben, war man in Eschberg nicht gewohnt.

Und Elias jubilierte. Komponierte ein Adagio von so anrührender Zartheit, daß den Bauern die klammkalten Hände plötzlich warm wurden. Figurierte den Choral «Christ lag in Todesbanden» in martialischen Motiven und endigte schließlich mit einem riesenhaften Postludium, welches er über das Metrum von Elsbeths Herzschlagen aufgebaut hatte. Die Bauern verließen das Kirchlein mit hochgestimmter Seele. Die Musik des Organisten machte ihre sturen Gemüter lammfromm, denn eigentümlicherweise verließ niemand die Kirche vor der Zeit. Es entstand auch nicht die leidliche Drängelei beim Weihwasserstock. Einige taten plötzlich ganz ungewöhnlich vornehm, gaben mit wurstigen Händen elegante Zeichen zum Vortritt und mengten in ihren Gruß – man wird es nicht glauben – Worte nach französischem Klang.

Elsbeth wartete schon vor dem Portal, und als sie den Organisten aus dem Schiff kommen hörte, lief sie ihm fröhlich entgegen. Sie sah, daß er ein vollkommen verschwitztes Antlitz hatte.

«Du bist ein Sakramentskerl! Ich habe noch nie so schöne Musik gehört!» rief sie ihm zu, und der laubgelbe Zopf baumelte ihr lustig um den Hals. Elias verneigte sich, tauchte zwei Finger in den Weihwasserstock, wandte sich zum Tabernakel und bekreuzigte sich.

«Das Postludium habe ich nur für dich gespielt. Weißt du, daß unsere Herzen im selben Rhythmus schlagen? Weißt du, daß wir von derselben Art sind?» Elsbeth blickte ihn noch immer mit maßlos verwunderten Augen an und begriff nicht, wovon er da eben geredet hatte.

«Darf ich das Fräulein zum Hof des Herrn Vater geleiten?» frug Elias hastig, denn er war über seine Worte selbst erschrocken. Er bot ihr den Arm, sie verneigte sich raschelnd, und so stolzierten sie zum Hof des Nulf Alder.

Peters Augen guckten spitz aus dem dunklen Kirchenschiff, und er war froh, daß heute der Alder Lukas zukehren würde. Nun, der Lukas kam denn auch wirklich gegen Nachmittag ins Haus, aber Elsbeth hatte keine Augen für ihn. Immerzu sprach sie von Elias. Wie es nur geschehen konnte, daß dieser Mann so teuflisch zu spielen imstande war. Sie hatte keine Augen für Lukas. Noch nicht.

Das gewaltige Orgelspiel unseres Musikanten machte noch zwei andere Menschen auf ganz gegensätzliche Weise erblühen. Zum einen Kurat Beuerlein. Als der nämlich aus der Sakristei getreten war, überkam ihn plötzlich ein Moment höchster geistiger Klarheit. Er blickte gen Osten und bedachte das Wunder dieses Tags. Welch grandiose Homilie mußte ihm doch geglückt sein, daß im Volk solch eine Stille aufgekommen war. Und der Kurat sann darüber, wie er denn das bloß fertiggebracht hatte.

Und es erblühte die Seffin, das arme vor der Zeit ergraute Weib. Sie stand an der Mauer des Totenackers, reckte den Kopf nach dem Arm in Arm gehenden Paar und bekam feuchte Augenlider. «Ist das wirklich mein Bub? Mein Bub?» flüsterte sie mit sich. Dann fing sie an zu weinen und vergaß die Zeit. Erst als Philipp mit den Fäustchen gegen ihren Bauch trommelte, fand sie wieder zu sich. Sie riß das Idiotenkind bei der Hand und ging eilig heimwärts. Am Abend hörte Seff sein Weib im Stall singen. Es sang wieder die Lieder der Mädchenzeit.

Nur einer konnte nicht mehr froh werden, und im Herzen entstand Melancholie, und der Entschluß zu sterben reifte in ihm wie ein dunkelroter Apfel. Es war der Dorflehrer Oskar Alder, dessen Schicksal wir schon angedeutet haben. Reglos saß er auf der Ofenbank, rauchte maßlos Tabak und konnte sich nicht satt quälen an den Erzählungen des Lamparterschen Plappermauls, das nach dem wundersamen Auftreten des neuen Organisten sogleich im Haus des Lehrers zugekehrt war. Und das Plappermaul pries das österliche Wunder mit einem nimmer endenden Halleluja. Eschberg habe einen großen Organisten hervorgebracht. Und eines Tages werde man von weither kommen, werde gar Späne aus den Fensterladen des Alderschen Hofes reißen und sagen: «Sehet! Ich habe einen Holzspan vom Vaterhause des großen Elias Alder!» Derlei Dinge sprach das Plappermaul und hätte nicht aufgehört zu frohlocken, wenn nicht des Oskars Weib es schließlich wütend zur Tür gewiesen hätte.

Noch so vieles gälte es aus dieser Zeit zu berichten, die für Elias Alder die Zeit höchsten Glücks gewesen ist. Wie er im Dorf zu hohem Ansehen gelangte, wie ihm die Bauern nicht bloß das Organistenamt, sondern auch das Amt des Schulleiters übertrugen. Wie er Sonntag um Sonntag jeden mit seiner Orgelkunst verblüffte. Wie er mit Elsbeth eine Lebensfreundschaft einging, wie er sie Tag um Tag leidenschaftlicher zu lieben begann, ohne ihr diese Leidenschaft je zu eröffnen.

Aber der Neid schläft nicht, und so wurden bald Stimmen laut, die das gewaltige Spiel des Organisten zu schmälern trachteten. Er spiele zu lang und überhaupt zu laut, mache eine unnötig vertrackte Musik, hieß es im Gasthaus zum Waidmann. Der Unmut erreichte seinen Gipfel, als Elias am Totensonntag mitten im Spiel abriß, um auf diese Weise den jähen Tod darzustellen. Da kroch es den Bauern kalt den Nacken hinab, denn sie verstanden wohl, was er damit hatte anzeigen wollen. So was sei in Eschberg durchaus nicht Sitte, die andächtigen Leut' derart zu erschrekken, maulte einer. Siket erat et prinzipus in nunk und semper!

Elias aber jubilierte. Er war überglücklich, und wenn er des Morgens erwachte, rannen ihm die Freudentränen aus den schlafverklebten Augen. Er liebte die Frühlinge, er verteidigte die Winter, und der Herbst war ihm kein Zeichen des Sterbens mehr. Er war sich dessen gewiß, daß er das Herzschlagen des ihm vorbestimmten Geliebten gefunden hatte. Und zu Peter sagte er einmal: «Was müssen die armen Menschen suchen und irren! Von einem Geliebten zum andern hetzen sie und wissen nicht, daß Gott ihnen einen Menschen von Ewigkeit her zugedacht hat. Einen Menschen, der dasselbe Herzschlagen trägt wie sie. Diese Kleinen! Sie sind ohne Vertrauen und haben nicht die Geduld zu warten, bis daß Gott ihnen den Ort und die Stunde anzeigt!»

Das Weib im Mondschein

DEN Kindern wurde er ein herzensguter Lehrer. Sie fingen an, ihn fast zärtlich zu umwerben, wenngleich sie die Scheu vor den gelben Augen nie ganz überwinden konnten. Selten wagte ein Kind, ihm in die Augen zu blicken. Er sang täglich mit ihnen, lehrte sie auf der Orgel seine musikalischen Bilder verstehen, deutete die Heilige Schrift wie ein Märchen und flößte ihnen beharrlich ein, daß nicht bloß der Mensch eine Seele habe, sondern auch die Kreatur, die Blume und der Stein. Ließ die Aufmerksamkeit nach, öffnete er ihre müden Lider, indem er Eschberger Stimmen imitierte, welche sie hernach erraten mußten. Wenn ein Kleines die Wochenlosung nicht bezahlen konnte, weil zu Hause Hunger herrschte, schlug er es nicht zu Boden, sondern nahm heimlich Eier, Brot und Käse von der Losung der anderen und gab es dem Kleinen mit auf den Heimweg. Hatte im Winter eines das obligate Holzscheit für den Schulofen vergessen, tadelte er es nicht, denn er sah wohl, daß es nicht einmal Strümpfe an den Beinchen trug. Er war ein aufmerksamer Lehrer, immer auf der Hut, in einem das Talent für die Musik zu entdecken. Er entdeckte Stimmen, die er formen konnte. Einen Musikanten fand er aber nicht. Bis auf Philipp, der immer zugegen war. Philipp aber war ein Idiot, und so mußte sein Talent verkümmern.

Aber das rastlose Werben um Elsbeth, dem nunmehr heiratsfähigen Weib, zehrte an ihm wie eine heimtückische Krankheit. Ihre Symptome zeigten sich vorerst an scheinbaren Bagatellen. Wurde unerwartet eine Tür geöffnet, schrak er übernervös auf. Sah er ein Weib von der Ferne zum Hof herkommen, steigerte sich sein Pulsschlag. Vernahm er nächtliches Weibergelächter beim Dorfbrunnen, wähnte er immer Elsbeths Lachen darunter. Musik, die ihm stets leichtgefallen, wurde ihm bald zur Mühseligkeit, und er mußte erkennen, daß er keinen Trost mehr in ihr finden mochte. Beim Antritt seines Organistenamtes hatte er noch täglich auf dem Instrument geübt, hatte es gepflegt und die Register bei guter Stimmung erhalten. Das wurde ihm nun zu beschwerlich, denn es gab auf dem Hof und in der Schule Arbeit ohne Ende. Rückte das Jahr zur Passionszeit, schien der musikalische Eifer wieder zu erwachen. Das Leiden Christi war ihm immer schon ein musikalisches Anliegen gewesen. Fast möchten wir sagen, daß es ihn zum Komponieren recht eigentlich stimulierte. So auch die neblige Zeit um das Fest Allerseelen, worin er die novemberliche Stimmung gepaart mit Weihrauchduft und schwarzen Gewändern in Musik zu setzen suchte. Er war ein Kind seiner Zeit. Er liebte alles, was mit dem Tod in Verbindung gebracht werden konnte.

In den Jahren des stillen Wartens auf Elsbeth veränderte sich die Theologie seines Glaubens. War er bisher ein nüchterner, aber stark glaubender Christ gewesen, so gärten nun Zweifel in ihm. Warum wollte Gott sein tägliches Nachtgebet nicht erhören? War es wirklich sein Wille, einen Menschen leiden zu sehen? War es sein Wille, einen Menschen in die Irre zu führen? Hatte er ihm nicht auf wunderbare Weise gezeigt, wem er vorbestimmt war? Hatte sich Gott am Ende von ihm abgewandt?

In dieser Zeit entwickelte Elias eine seltsam gesteigerte Marienverehrung. Er fing an, Marienbilder zu sammeln, Rosenkränze und Statuetten. Er tat dies mit nahezu fanatischer Sammlerwut und hielt sogar die Kleinen in der Schule an, ihm alle Devotionalien zu überlassen, welche daheim nicht mehr gebraucht wurden. Diese Stücke hortete er dann im Gaden als seinen kostbarsten Schatz. Die Wände füllten sich mit Bildern, an der Stirn- und Fußseite der Bettstatt hingen die Rosenkränze wie die Maiskolben zum Trocknen, und der Tisch strotzte von Figürchen aus Holz und aus Gips. Bemalte und unbemalte Marien mit und ohne Kopf, trauernde und verklärte Marien – Marien überall.

Wenn er die Kirche betrat, tat er die Kniebeuge nicht mehr vor dem Allerheiligsten, sondern ging zum Altar der Muttergottes, fiel – so niemand zugegen – auf die Knie, beugte sich zum Saum des Altarlinnens und küßte ihn mit heftiger Inbrunst. So verblieb er lange, und der ewig frische Blumenstrauß, den die Nulfin wöchentlich aufstellte, gab ihm neue Hoffnung. Zwar wußte er nicht, was es mit dem Strauß auf sich hatte, aber er wußte, daß es die Nulfin war, die ihn dort aufstellte. Er suchte alles, was mit Elsbeth in Verbindung gebracht werden konnte.

Diese bedenkliche Seelenverfassung rief den Peter auf den Plan. Er allein wußte, wie sehr Elias Elsbeth liebte.

Zu der Zeit, in welcher die folgende Begebenheit spielt, waren die Freunde ins einundzwanzigste Jahr gekommen. Peters Leben war wie das seines Freundes vorgezeichnet, und er durfte nicht erwarten, daß sich jemals eine Möglichkeit bieten möchte, der unerträglichen Langeweile des Bauerndaseins zu entkommen. An seinem zwanzigsten Geburtstag wanderte Nulf mit ihm nach Feldberg zu einem Advokaten, dem Sohn Hof, Wald und Bündten zu übertragen. Man wunderte sich damals in Eschberg sehr über Nulf, weshalb er dem Sohn ein so grenzenloses Vertrauen entgegenbringen konnte, erbten doch die Söhne erst beim Tod der Väter. Aber bald mußte auch Nulf einsehen, daß er sich in Peter getäuscht hatte. Zwei Wochen nach Inkrafttretung des Erbkontrakts quartierte Peter die Eltern ins Bubengaden, die Wohnstube durften sie ohne seine Erlaubnis nicht mehr betreten. Seit diesem Mißgeschick sah man den Nulf wieder fromm zur Kirche gehen, und das machte ihn zum noch größeren Gespött im Dorf.

Wie unverhohlen Peters Neigungen zu der Zeit schon waren, zeigte sich an dem, wie er sein Vieh behandelte. Unter dem Vorwand des guten Haushaltens studierte er an mehreren Rindern, wie lange sie ohne Wasser auskommen möchten. Einem Kalb hackte er einmal den Schwanz ab, nur weil es munter gebockt hatte. Einer frisch geferkelten Sau stach er die Augen aus, nachdem sie zwei ihrer Ferkel zu Tode gebissen hatte. Als er sich am offensichtlich Grausamen satt gesehen hatte, sann er auf Methoden und Wege, wie die Kreatur zu quälen sei, ohne daß sie das Zutrauen zum Herrn verlöre. Und war ihm das gelungen, sah er mit offenem Mund und geilen Augen in die Augen des irre gewordenen Tieres.

Peter war kein Mann. Er hatte keinen Bartwuchs, war klein von Gestalt, im Gesicht die Spuren der Blattern, am Körper drahtig. Er hatte krauses Haar, und das unverkennbare Mal war sein verkrüppelter Unterarm. Seine Augen glänzten nußbraun. Es waren schöne Augen, wenn nicht das Licht des Abgründigen in ihnen flackerte.

Es ist unbegreiflich, weshalb unser Elias mit diesem Menschen umging, der die Kreatur quälte, so als trüge sie Schuld an seiner Lebenslangeweile. Gewiß war ihm Peters Naturell nicht unentdeckt geblieben. Er hatte ihn oftmals darum angefleht umzukehren, die Tiere in Frieden zu lassen, vor allem dann, wenn ihm Elsbeth wieder flennend die eine oder andere Grausamkeit zugetragen hatte. Dennoch schien das Gefühl der Dankbarkeit und Treue in Elias zu überwiegen. Er vergaß nie, daß Peter einstmals unterm Gaden gestanden und zu ihm gehalten hatte. Diese Treue machte ihn nun ungewollt zum Komplizen für Peters Bosheiten. Das wußte er. Und er wirkte nicht dagegen, denn es hätte ihn die wichtigste Freundschaft seines Lebens gekostet.

Es geschah in einer lauen Novembernacht zur Zeit des vollen Mondes. Das sind die Nächte, in denen sich der Sommer gegen den Herbst aufbäumt und den Menschen ein unruhiges Herz macht, vielleicht daß doch noch ein Suchender wie sie zu finden sei. Das Dorf lag im Vormitternachtsschlaf, die Wälder warfen riesenhafte Schatten in die vom Mondlicht blauschimmernden Bündten. Am Vorabend hatte Peter dem Elias geheimnisvoll bedeutet, er solle sich beim Hirschweiher am Fuß des Petrifelsen einfinden. Dort werde er auf ihn warten, und dann wolle er ihm das zeigen, was er sich schon immer erträumt habe. Er wolle ihm die Liebe zeigen.

Elias, durch solches Reden aufgestachelt, wanderte ohne Säumnis zu der verabredeten Stelle. Dort breitete sich eine Lichtung aus, der Boden war ein knöcheltiefer Sumpf. Auf solchen Plätzen pflegte sich das Rotwild zu suhlen. Als Elias in die Lichtung trat, roch er Tabakrauch. Das dünkte ihn wunderlich. Dann sah er den Peter, wie er an einem Baumstamm lehnte und hastig an einer Tabakpfeife zog. Peter grüßte ihn mit überreizter Stimme, in welcher Elias schon die Absicht des Gemeinen lesen konnte.

Zur selben Stunde rüstete sich ein alleinstehendes Weib zum nächtlichen Ausgang. Es war die Lamparter Burga, von der wir einmal sagten, sie habe das Leben und die Menschen liebgehabt und sei darum zur Dorfhure gemacht worden. Bei der Brandkatastrophe war ihr Haus in den Flammen untergegangen, und sie mußte sich als Magd bei ihrem Vetter Walther im Weiler Altig verdingen. Dort verliebte sie sich unsterblich in den Bruder des Vetters, der ein hochgewachsener, ausgemergelter Mann war und seit Kindesstatt an der Fallsucht litt. Die ganze Geschichte war dorfbekannt und dorfbekannt war auch, daß der besagte Mann bei einem Unfall im Holz die Hoden verloren hatte. Die Burga liebte ihn dennoch. Wenn er sonntags nach Tisch sein Pfeifchen schmauchte, naste sie zufrieden nach dem Tabakrauch, saß still auf der Fensterbank, betrachtete ihren Gottfried und war vergnügt.

Die Burga war ein blühendes volles Weib mit kernigem Gesicht und blondem, dickgezopftem Haar. Der Köhler Michel hatte ihr ein versiegeltes Briefchen überreicht – er tat alles, was ihm nur irgend Geld einbringen mochte – , und darin stand auf gar fein geschöpftem Papier zu lesen, daß Gottfried sie um die Mitternacht beim Hirschweiher treffen wolle. Er habe ihr Dinge von großer Wichtigkeit mitzuteilen. Nun, Burga zweifelte nicht einen Augenblick an der Richtigkeit des Briefchens. Es war Gottfrieds Hand, dünkte sie eindeutig, welche das Briefchen verfaßt hatte. Feingewirkt war Peters Plan.

Als sie durch die blau glänzenden Bündten hinabwanderte, mußte sie vor lauter Vorfreude wieder und wieder innehalten, das Briefchen aus der Schürze ziehen und es mit vertrockneten Küssen bedecken. Dann roch sie Tabak, und davon zuckte ihr ganzer Leib zusammen.

«Gottfried?» hauchte sie erwartungsvoll in die mondhelle Lichtung. «Gottfried, bist du hier?» Obwohl sich die Burga nicht vor der Dunkelheit fürchtete – tat sie ihre Gänge doch meistens bei Nacht – , wurde ihr nun doch bange. Sie wartete und lauschte und vernahm keinen Ton. «Gottfried!» fing sie an, sich Mut zuzureden, «ich bin es! Deine Burga! Ich bin da! So kömm doch heraus!»

Da erhob sich Gottfrieds Stimme in der Dunkelheit. «Tritt in das Licht, Burga! Ich will dich sehen!»

Der Burga klopfte das Herz, als sie in die Lichtung trat. «Es ist feucht hier!» lächelte sie ängstlich. «Wollen wir uns nicht einen besseren Platz suchen?» und sie wandte ihren Kopf nach allen Seiten, den Ort der Stimme ausfindig zu machen. «Kömm jetzt heraus!» forderte sie nun mit einem Anflug von Zorn. «Ich weiß, daß du hinter der Tanne stehst!»

«Was bist du für ein schönes Weib», hub die Stimme aus der Dunkelheit an zu reden. «Weißt du, daß ich dich begehre seit dem Tag, an dem du zu uns auf den Hof gekommen?»

«Was redest du für Zeug?» warf die Burga lebendig ein und watete durch den knöcheltiefen Morast.

«Bleib in dem Lichte stehen!» rief Gottfried, und die Stimme überschlug sich so typisch, daß dem Weib die letzten Zweifel wichen.

«Ich bleibe hier stehen», sagte sie mit mädchenhafter Allüre, verschränkte die Arme auf ihrem Bauch.

«Hast du mich jemals liebgehabt?» frug die Stimme traurig. Burga stutzte. Die Stimme frug noch dunkler: «Sprich, hast du mich jemals liebgehabt?»

Mit dieser Frage war das liebende Weib tief getroffen, und es fing ohne Hemmung an, ihr Innerstes preiszugeben. «Wenn ich beim Schlafengehen den

Laubsack streichle, wünsche ich mir, es sei dein Haupt, Gottfried. Du darfst mich nicht verlachen, oder mich bei anderen ausrichten. Aber wenn du den Teller stehen läßt, esse ich ihn heimlich aus. Und oftmals gehe ich zu deinen Pfeifen und rieche an ihnen. Dann denke ich mir: Es wär halt eine große Freude, wenn mir der Herrgott ...»

«Ich glaube dir von dem kein Wort!» schrie Gottfried zornig. «Du gehst und legst dich zu anderen, treibst Sünde mit ihnen! Wie kannst du behaupten, daß du mich liebhast?»

Burga schwieg. Sie begriff den unheimlichen Spuk noch immer nicht, hätte ihn aber jetzt begreifen müssen, denn der wahre Gottfried hatte nie so zu ihr geredet. Dieses plötzlich redselige Gehabe schob sie dem Wirken der wundersamen Mondnacht zu. Überdies gab es in Eschberg ein altes Wort, an das sie mit kindlicher Reinheit glaubte: Bei Vollmond, ging das Wort, führt ein Engel zwei Menschen zusammen und zwei trennt er durch den Tod.

«Wenn du mir wirklich gehören willst», fuhr die Stimme aus der Dunkelheit fort, «dann zeige dich mir. Entblöße deinen schönen Leib, und ich werde dir glauben.»

Elias, der mit Peter hinter einem Stechlaubstock lag, fing bei diesen Worten an zu stottern. Da drückte ihm Peter die Hand fest in den Nacken, auf daß Elias ja das Spiel nicht verderbe.

«Ich tue, was du verlangst, wenn du mir versprichst, übers Jahr mein Gatte zu werden», erwiderte Burga ruhig.

Und Elias schwur in der Stimme Gottfrieds, schwur auf die Heiligen, die Apostel und auf die Seelen aller verstorbenen Lamparter. Willenlos schien er dem

Peter zu folgen, wiederholte dessen Worte, als sei er unter Hypnose.

Burga ging daran, sich zu entkleiden. «Mein Leib ist doch das Geringste, das ich ihm zeigen kann!» dachte sie und hatte keine Furcht mehr vor der Nacktheit. Sie nahm das Halstuch von der Schulter und legte es mit zarten Bewegungen über einen geknickten Reisigast. Das Mieder schnürte sie nicht minder zart auf, wollte sie doch ihrem Gottfried in allem gefallen. Eine warme Bö kam auf, strich über die Wipfel und machte ein ruhiges, dumpfes Rauschen. Burga entfaltete das Mieder, und die beiden Männer sahen ihre großen, ebenmäßig geformten, weich-seidenen Brüste hervorquellen. Dann beugte sie sich vor, die Röcke zu fassen, und dabei gingen ihre Brüste nieder und formten sich zu zwei vollen, reif gewordenen Birnen. Das Mondlicht tanzte im gezopften Haar und ließ es wie Lametta aufglänzen. Und das Licht floß über ihre weißen, breit gebauten Schultern, schmiegte sich an die glatte Haut des Rückens, und dort, wo das Rückgrat in einer sanften Mulde endete, entstand ein flüchtiger Schatten. Sie griff den ersten Rock und streifte ihn mit derart ruhigen Händen vom Körper, als sei sie ganz allein. Elias sah, wie sich ihre Brüste aufbäumten, als sie den Rock überzog, und er sah, wie sich dabei die Brustwarzen versteiften. Der Mund trocknete ihm aus, er wagte kaum zu atmen. Da griff das Weib den letzten der Röcke, strich ihn über den Kopf und war nackt. So stand es unbeweglich, mit geschlossenen Beinen, mit schlaff herabhängenden Armen. Aus den Händen trat kraftvolles Geäder, und der spitze, fruchtbare Bauch dehnte sich beim Atmen und wurde prall und wurde weich.

Elias starrte auf das breit geformte Becken des Weibes, konnte die Augen von der vollbehaarten Scham nicht mehr abwenden. Er hörte nicht, was ihm heißlippig ins Ohr gehaucht wurde. Erst als Peter ihn in den Arm kleubte, erwachte er.

«Ich glaube dir noch immer nicht!» rief Gottfried aus dem Stechlaubstock. «Zwei Prüfungen mußt du noch bestehen, und wenn du diese Prüfungen bestehst, so werden wir noch in diesem Monat Mann und Weib sein.»

Burga schwieg geduldig.

«Ein Weib soll», sprach Gottfried in langen Pausen, «seinem Manne in allen Dingen untertan sein. Beweise, daß du mir gehorchen kannst!»

«Was du verlangst, werde ich tun!» sagte Burga vertrauensvoll.

«Öffne deinen Zopf!» forderte Gottfried mit sich überschlagender Stimme. Und während Burga ihren Zopf entwand, flog etwas Blitzendes vor ihre Füße. «Nimm das Messer und schneide dir das Haar ab!» Burga zögerte mit keinem Augenblick, tappte nach dem Messer und schnitt sich das Haar ab. So groß war ihre Liebe zu Gottfried. «Und nun», bebte die Stimme, «lege dich in den Schlamm! Wälze dich darin, wie sich die Hirschkuh darin wälzt!»

«Warum verlangst du solche Dinge von mir?» stammelte Burga gedemütigt. «Ist es nicht genug?»

«Tue, was ich sage, oder du wirst mir niemals angehören!» schrie Gottfried.

Und das nackte Weib ließ sich auf die Knie hinab, tauchte ihre Hände in den Morast, beschmutzte das Gesicht, warf sich bäuchlings hinein, wälzte sich darin und fing an, laut und jämmerlich zu schluchzen. Da hörte sie plötzlich ein heimliches Lachen, hielt inne und blickte entsetzt nach allen Richtungen. Da wurde das Lachen so gewaltig, daß in den Felswänden ein Echo entstand. Burga riß sich aus dem Schlamm und schrie mit verzweifelter Stimme «Ihr Hunde!! Ihr Hunde!!», konnte aber nur noch die Schatten zweier Menschen ausmachen, wie sie talwärts schnellten. Burga setzte ihnen nach, mußte jedoch bald aufgeben, weil sie sich im Stechlaub die Füße wundgerissen hatte.

Da stand sie nun, kurzgeschoren, heulend und nackt. Dabei hatte sie doch nur dem Wort vertraut, daß bei Vollmond ein Engel zwei Liebende zusammenführt.

«So ist das Weib!» brüllte Peter triumphierend, als er sicher war, der Verfolgerin entkommen zu sein. «Das Weib ist dumm und einfältig. Es ist weich und feig. Und um der Liebe Willen», fügte er theatral hinzu, «tut sie alles!» Dann trat er ganz nahe zu dem vor Erschöpfung zitternden Stimmenkünstler. «Warum zitterst du?» frug er ihn böse. «Dieses Weib hat verdient, daß man es so traktiert! Es ist eine Hure, du hast es mit eigenen Augen gesehen!»

«Heilige Jungfrau, was habe ich getan?» stotterte Elias und fing an, hemmungslos zu flennen. Peter nahm den Kopf des Weinenden in seine Hände, hielt ihn fest und fing an, dessen dürre Lippen zu küssen. Und er fuhr mit den Händen zärtlich über Schultern und Brust und tastete nach Elias' Geschlecht. «Es wäre gut», murmelte Peter dunkel, «wir stürben hier auf diesem Flecken.» Dann stieß er den Elias mit einem gewaltigen Aufschrei von sich und entfloh in die Dunkelheit des Waldes.

Das Verbrechen an dem unschuldigen Weib entfesselte in Elias bittere Schuldgefühle. Er suchte Zuflucht und Erlösung im Gebet, brachte sich mit endlosen Litaneien und Rosenkränzen um die wenigen Stunden seines Schlafs. Allein, das Bild von dem nackten Weib im Mondschein, den prallen birnengeformten Brüsten, der silbern glänzenden Scham, ließ ihn nicht mehr los. Er quälte sich, es zu vertreiben, aber das Weib erstand jede Nacht neu. Er suchte Vergebung im Orgelspiel und erschrak über sich selbst, als er erkennen mußte, daß er ein anderer geworden war. Er fing an, Gefallen daran zu finden, Musik gegen die Gesetzmäßigkeiten des Ohres zu komponieren. Er wußte intuitiv, daß Dissonanzen, werden sie nicht aufgelöst, etwas Sündiges und Verbotenes sind. Und weil er mit sich und seinem Leben nicht mehr ins reine kommen konnte, wurde sein Spiel nur desto reicher an dissonierenden Klängen. Er hatte die Sünde entdeckt und fing an, sie auszukosten. Sein ehemals naives Spiel erlangte die Kraft des Dämonischen.

Und Burga? Sie wußte, daß es nur einen gab im Dorf, der die Eschberger Stimmen imitieren konnte. Sie ahnte auch, daß der zweite Schatten Peters Schatten gewesen war. Aber zu keinem sprach sie je ein Wort darüber, ja blickte ihnen nicht einmal vorwurfsvoll in die Augen. Ihrem Vetter log sie daher, sie leide an Haarfäule und habe darum ihren Zopf abhauen müssen. Dann schickte sie sich wieder geduldig in den Alltag. So war es ihre Art.

Wenn er sonntags nach Tisch sein Pfeifchen schmauchte, naste sie zufrieden nach dem Tabakrauch, betrachtete ihren Gottfried und war vergnügt. Sie liebte die Menschen und das Leben. Diese Liebe konnte ihr keiner versauen.

Die Lichter der Hoffnung

SCHON zum dritten Mal an diesem Sonntag Laetare wog Seff Alder die Tür in den Bubengaden, wo Elias zu Bett lag, fiebrig, mit schweißnassem Haar und aufgerissenen, stieren Augen. Seff hob den Atem. Die Luft war ein gelbbrauner Nebel aus Weihrauch und dem Rauch der vielen Talgkerzen, die der Liebeskranke zur Linderung seines Kummers abbrannte. Seff ging zum Nachtkästchen, schob die Gipsmarien, die kleinen Standbilder enger und legte die vier geschälten Kartoffeln hin. Auch etwas Käse, den er selbst entrindet hatte. Das schien der einzige Trost, den er seinem noch immer geliebten Sohn zu spenden vermochte. Er war kein Redner.

Aber gottverreckt, heute müsse er mit ihm reden, zürnte Seff still, als er den Sohn so kümmerlich daliegen sah. Er werde ihn heute offen um Verzeihung bitten, für jenes alte Verbrechen am Holzschnitzer Roman Lamparter. Jetzt habe er endlich den Mut dazu. Ja, er würde gar vor ihn hinknien, wenn es der Bub verlangte. Er müsse ihm sagen, daß er kein wirklicher Mörder gewesen sei. Nulf, der Bruder, habe ihn damals aufgestachelt, den Lamparter bei lebendigem Leib anzuzünden. Er müsse das doch begreifen: In jener Nacht sei die Familie vor der Glut ihres Hofes gestanden, vor dem Nichts. Das müsse er doch begreifen. Ein wirklicher Mörder sei er nicht ... Seff schlug die Hand auf seine Stirn und preßte drei Finger gegen die Schläfen. Wenn nur endlich im Grind das furchtbare Lachen aufhören möchte. Das furchtbare Lachen.

«Die Schwarze hat geworfen», redete er schwer. Sein Kropf hob sich, die schwulstigen Lippen bewegten sich kaum. «Ein Kalb. Gestern nach dem Rosenkranz.»

Elias lag unbeweglich und starrte auf das sich herabwölbende Deckentäfer.

«Man hat geredet. Wegen dem Orgeln heute. Ob du krank seist?» sagte Seff nach einer langen Pause. Sein Blick glitt an dem dürren, leichnamgleichen Körper hinab. «Iß! Sind warm», ermutigte er seinen Sohn.

Elias neigte den Kopf zur Seite, wollte nicht essen. Seff bemerkte, wie die stieren Augen plötzlich wäßrig wurden, und als er eine stumme Träne herabrinnen sah, gelang es ihm nur schwer, das Wasser in den eigenen Augen zu unterdrücken. Wie mochte das nur sein, daß man um eines Weibes Willen solchen Kummer leiden konnte? dachte Seff. Es sei nicht gut, wenn ein Mannsbild sich derart gehenlasse. Jetzt liege er schon vier Tage im Gaden, in dieser stickigen Gruft, nehme keine Mahlzeit zu sich, halte die Schule nicht mehr – alles wegen dieser Elsbeth. «Gottverreckt, ein Mann ist stark!» fluchte er plötzlich laut, und weil er den Anblick des still vor sich hin weinenden Sohnes nicht länger mitansehen konnte, suchte er ihn mit einer kleinen Notlüge zu trösten.

«Die Elsbeth sagt dir eine gute Besserung», sprach er mit fast zärtlich warmem Tonfall. Da sah er, wie Elias bei dem Wort Elsbeth die Augenlider zutat, so als hätte ihm ein Arzt das längst nötige Medikament verabreicht.

«Ist das wahr?» frug Elias mit unreiner Stimme, räusperte sich lange, denn er hatte vier Tage kein Wort mehr gesprochen. «Sie hat mir eine gute Besserung gesagt», wiederholte er mit sich beruhigenden Gesichtszügen. Das Medikament fing an, Wirkung zu zeigen.

Seff lächelte und fuhr fort, den Kranken mit sperrigen Worten zu belügen. Elsbeth sei traurig gewesen über das Fernbleiben des Organisten. Sie habe beim Amt unentwegt den Kopf nach der Empore gereckt, sei unruhig in der Bank gesessen, habe ungeduldig im Gebetbüchlein geblättert und keine Andacht gehabt. Sie habe ein enttäuschtes Gesicht gemacht, wie überhaupt viele enttäuschte Gesichter gemacht hätten. Denn ohne sein treffliches Orgeln sei es in der Kirche kalt und trostlos gewesen.

Indessen Seff redete, richtete sich Elias im Bett auf, rüttelte das Kopfkissen, klemmte es hinter den Kopf, lehnte sich hinein, und das trockene Laub des Kissens knisterte wohlig. Nachdem Seff geendigt hatte, entstand wiederum eine lange Stille im Gaden. Doch Seff entdeckte, daß aus den Augen des Kranken das irr Glänzende gewichen war. Unter unendlich mühsamen Umwegen gab Seff alles preis, was ihn seit Jahren so schmerzlich verfolgt hatte. Der Vater beichtete dem Sohn. Zum ersten Mal sprachen sie wieder miteinander. Nachdem Seff geendigt hatte, herrschte eine Stille von mehr als einer Viertelstunde. Während sie so schwiegen, zog in Elias eine Erinnerung aus Kindertagen herauf: Hatte er nicht einmal den Stallhut seines Vaters an sich genommen, in schweren Nächten den kalten Schweiß, das Haupthaar, den Geruch des Viehs gerochen, so lange, bis er getröstet war?

Dann blickten sie sich offen in die Augen. Seff spürte, daß ihm Elias vergeben hatte. Da jubilierte sein Herz, und er wußte, daß jetzt das marternde Kopfgrimmen ein Ende haben würde. Seit jenem Sonntag Laetare strahlte aus Seffs Augen das ruhige Licht der Hoffnung. Die Zeit des Aneinander-Vorbeigehens war zu Ende. Die Zeit des Friedens war gekommen.

Nun mochte Seff wieder fröhlich werken, denn das stechende Kopfgrimmen verging in der Tat. Auch das

Gelächter dünkte ihn leiser zu werden, so als ob der Tote endlich seine Ruhe gefunden hätte. Von da an trug sich Seff mit dem Gedanken, den Hof zu erneuern und zu erweitern. Er wolle im Frühjahr nach Hohenberg zum Viehmarkt gehen und dort zwei Rinder und eine Kuh erstehen. Dann müßte der Heustock neu angelegt und der Schweinekoben vergrößert werden, denn zum Vieh wolle er noch zwei tragende Säue dazukaufen. Auf der Hausbündt müsse man Apfel- und Birnenbäume pflanzen, das sei für die Zukunft ein einträgliches Geschäft. Man könne den Most zu Martini in Dornberg verkaufen, und die Städter, heiße es doch überall, kauften teuer …

Etliche Wochen später, der Frühling des Jahres 1825 war eingezogen, verschwand Seff Alder. Das Letzte, was die Seffin über seinen Verbleib aussagen konnte, war dessen vage Mitteilung gewesen, daß er in den Jungwald gegangen sei, die Tännchen auszuschwemmen. Nun, die Bauern weiteten ihre Suche aus, ja durchkreuzten den Wald von allen Richtungen bis hinab nach Götzberg. Aber Seff Alder wurde nicht gefunden. Als man ihn am vierten Tag der Suche noch immer nicht gefunden hatte, stellten die Eschberger acht Gruppen zu je zwei Männern zusammen, welche systematisch das Gebiet vom Kugelberg bis zum Talbeginn durchkämmen sollten. Am selben Nachmittag spielte Philipp mit seinem Kätzchen in der Wiese, östlich des Alderschen Hofes. Das Kätzchen setzte mit federnden Sprüngen einer Blindschleiche nach, welche in Richtung des Holzschuppens blitzte. Es kroch durch ein morsches Brett in den Schuppen. Dort fand das mongoloide Kind den Vater. Zusammengebrochen lehnte er beim Holzstock, der rechte Mundwinkel hing tief und schlaff herab, Speichel rann hervor, die rechte

Schulter war herabgesackt, die rechte Hand blau und unbeweglich. In den Augen aber leuchtete noch immer das ruhige Licht der Hoffnung. Philipp tänzelte um den Vater herum, stieß Laute und Schreie der Freude von sich, lachte und wollte mit ihm spielen. Fritz, der älteste Sohn, der sich eben mit Lukas Alder auf die Suche begeben wollte, barg den leblosen Vater. Seff hatte einen Schlaganfall erlitten. Mit achtundvierzig Jahren blieb er bis zu seinem Lebensende auf der halben Körperseite gelähmt. Fritz, von dem uns kein einziges Wort überliefert ist, schwieg auch jetzt noch.

Eine jede Hoffnung ist ohne Sinn. Kein Mensch verfalle auf die Idee, auf die Erfüllung seiner Träume zu sinnen. Vielmehr soll er den Irrsinn des Hoffens begreifen. Hat er ihn begriffen, darf er hoffen. Wenn er dann noch träumen kann, hat sein Leben Sinn.

Auch in Elsbeths Augen glänzte zu jener Zeit ein ruhiges Licht der Hoffnung. Sie hatte ihren siebzehnten Geburtstag verlebt, war vergnügt und fröhlich wie noch nie in ihrem Leben. Damals fing sie an, Damaststickereien zu fertigen und entdeckte bald ihr großes handwerkliches Geschick. Erst arbeitete sie um Gotteslohn, ja verschenkte die kunstvollen Tücher und Deckchen. Dann zwang Peter sie, die Ware in Götzberg feilzubieten, auf daß es rentiere. Obwohl ihr nichts von dem Geld zukam, war sie doch zufrieden. Das «Hübsch! Hübsch!» und «Oh, wie fein!» der Götzberger Weiber war ihr Lohn genug.

In jener Zeit sann das Mädchen viel über die Dinge der Liebe, denn ihr Herz war voll davon. Elias, der immer schon jedes Wort aus ihrem Mund in die Waagschale geworfen hatte, sah darin ein Anzeichen für die Erfüllung seines Lebens. Obwohl sie einander in inniger Freundschaft zugetan waren, verheimlichten sie einander doch ihre bedeutsamen Gefühlsregungen. Das war ein ganz typischer Zug des Alderschen Geschlechts, und man darf billig hinzufügen, des vorarlbergischen überhaupt. Niemals hätte ein Alder einem Menschen anvertraut, daß er ihn liebhabe. Alles mußte ohne Worte geschehen, und wenn, nur in Andeutungen und Halbheiten. Sprachlos waren diese Menschen, ja sprachlos bis in den Tod.

Mit zorniger Faust möchten wir diese fiebrig herumirrende, schwarz-dürre Gestalt mit den gelben Augen und dem schütteren Langhaar festhalten, sie bei den Schultern fassen und ihr ins Gesicht schreien: «Rede endlich! Sag ihr, wie es um dich steht! Besser ist es, die Wahrheit zu wissen, als in der Lüge zu träumen!» Es würde nichts nützen. Und wenn wir ihn um seines genialen Talentes willen anflehten, er würde nur gequält lächeln, denn er weiß ja nicht, welch grandioser Musiker er ist. Und wenn er es wüßte, nützte es noch immer nichts. Er würde uns mit bösen Augen ansehen und mit vorwurfsvollem Ton fragen: «Ist nicht die Liebe wichtiger als das höchste Genie dieser Welt?» Wir müßten verstummen. Und weil wir das wissen, fassen wir ihn nicht mit zorniger Faust bei den Schultern.

Es fügte sich, daß Elias mit seinen Ochsen gen Götzberg karrte, Salz, Leuchtöl, Kurzwaren und Spezereien im Auftrag der Eschberger zu kaufen. Früher hatte dieses Geschäft der Köhler Michel getätigt, doch hatte man herausgefunden, daß er regelmäßig etliche Heller unterschlagen hatte. Darum durfte der Michel nicht länger gen Götzberg karren. Es fügte sich, daß Elsbeth an eben diesem Tag auch nach Götzberg wandern wollte, um ihre neuen Stickereien feilzubieten. Es war ein kalter Maimorgen. An den nordseitigen Hängen sah man einen Lamparter das kümmerliche erste Gras sensen – viel zu früh, aber der Wintervorrat war verbraucht, und die Tiere litten Hunger.

Elias, im schwarzen Gehrock, war eben damit beschäftigt, die Sprenggurte an die Deichsel zu schnallen, als das Mädchen zu ihm hintrat. Es war von so unsäglicher Schönheit an diesem Morgen, daß er noch in den Fingerballen sein Herz klopfen hörte. Elsbeth trug ihr laubgelbes Haar offen, auf ihren Lippen glänzte die morgendliche Sonne, und die Augen waren klein und voller Schlaf. Auf ihrem Gesicht lag eine ungewohnte Blässe, obwohl es von dunklem Teint war. Elias sah das und frug umständlich, ob sie marode sei und sich den Gang ins Tal auch wirklich zutraue. Er sprach leise, ja flüsterte beinahe. Das war eine Gewohnheit aus Kindertagen, denn am Morgen war sein Gehör immer auf das empfindlichste gereizt. Und wie oft hatte er darunter gelitten, wenn frühmorgens die Seffin mit lauter Stimme und scheppernden Handgriffen in der Küche gewerkt hatte.

«Gelobt sei Jesus Christus», sagte Elsbeth ohne auf seine Fragen zu antworten, stellte den Korb zu Boden und wand ihr graues Wollplaid enger um die Schultern. «Darf ich aufsitzen?»

Elias erwiderte den Gruß. Man setzte sich auf den Bock und fuhr an. Die Speichen ächzten, das Fell der Ochsen dampfte. Elias und Elsbeth sprachen kaum zwei Worte. Das machte die Frühe des Morgens, möchte es scheinen, wo sich die Gedanken von gestern erst um das Heute scharen müssen. Doch es war anders.

Zu jener Zeit hatte Elias bereits aufgehört, auf Elsbeth zu hoffen. Im Dorf war nämlich ein Gerede entstanden, wonach in Eschberg bald eine Hochzeit anstünde. Nicht das Lampartersche Plappermaul hatte das Gerücht in Umlauf gesetzt, nein, Nulf Alder selbst. Er wünschte sich nämlich den Lukas Alder zum Eidam. Der Lukas Alder stammte vom reichsten Hof in Eschberg, war ein fleischiger Kerl, aber nicht grob oder etwa roh. Er verkehrte schon seit einigen Jahren auf nunmehr Peters Hof, doch wäre es falsch zu behaupten, daß sich zwischen Lukas und Elsbeth je eine leidenschaftliche Liebe entzündet hätte. Nein, das Mädchen hatte sich im Lauf der Jahre an die Wünsche ihres Bruders gewöhnt. Sie gewöhnte sich sozusagen an den Gedanken, den Lukas Alder dereinst zu ehelichen. Und als das geschehen war, liebte sie ihn.

Elias saß schweigend auf dem Bock, verschlossen gegen Elsbeth und die Welt.

Er sei schon ein kurioser Mensch, wenn man ihn so anschaue, dachte Elsbeth während der Fahrt. Jetzt kenne sie ihn schon viele, viele Jahre, aber im Grunde wisse sie nichts von ihm. Ob er heimlich ein Mädchen habe? Nein, viel zu anständig sei er dafür. Er sei halt wie ein richtiger Studierter, und die Dinge des täglichen Lebens kümmerten ihn herzlich wenig. Das könne man vom Lukas nun nicht behaupten. Der stehe mit beiden Beinen fest im Leben. Obwohl es ihr schon lieb wäre, wenn er sich etwas mehr mit ihr, als mit seiner Viehzucht abgeben tät'. Aber das müsse halt so sein, sage die Mutter. Und es stimme schon: der Lukas sei gut zu den Tieren. Sie habe ihn noch nie eines schlagen oder beschimpfen gesehen.

Elias saß schweigend auf dem Bock.

Ja die Liebe, sang sie ungehört in sich hinein, die Liebe sei ein traurig Ding. Den Mund mache sie lachen, aber das Herz sei ein dunkler Wald. Und sie warf den Kopf steil in die Höhe, blinzelte in die grellgrünen Blätter der Zweige des Mischwaldes, wie sie ruhig über ihrem Haupt vorbeiflossen, kniff die Lider zusammen, als ihr plötzlich das gleißende Sonnenlicht aufs Gesicht sprengte. Sie hielt die Lider geschlossen und malte sich aus, wie es wäre, wenn jetzt Elias um ihre Hand anhielte. Vielleicht habe er sie gar nicht lieb? Eine schlechte Partie sei sie außerdem, denn zu erben gebe es zu Hause nichts. Gewiß, er würde ihr schöne Worte sagen. Er würde ganz aufrecht vor ihr dastehen, ihr in die Augen blicken, sehen, daß sie erröte. Aus Takt würde er schweigen und sie erst in einer unberechneten Minute fragen: Fräulein Elsbeth: Wollt ihr mein Weib werden? Gewiß würden seine Hände schöne Gesten zu den Worten machen. Was sie da für dummes Zeug denke! Und Elsbeth schlug die Augenlider auf.

Elias saß schweigend auf dem Bock.

Er sei halt viel zu schüchtern. Das sage auch die Frau Mutter. Und ein Mannsbild müsse tapfer und mutig durch das Jammertal des Lebens schreiten. Das sage der Herr Vater. Außerdem liege ein Fluch auf der Sippe seines Bruders. Alle Kinder seien von schwächlicher Art und wankelmütigem Geist. Das möchte sich wohl vererben, meine der Herr Vater. Trotzdem, das glaube sie fest, wäre er ihr bestimmt ein treuer Mann. Wissen könne man das nie, aber glauben tue sie es. Wenn er bloß nicht diesen unheimlichen Makel an seinen Augen trüge. Und er müßte einfach entschlossener und stärker sein im Leben. Dann hätte sie ihm schon lange – wie es nun mal des Weibes Art sei – verhohlen angedeutet, daß sie ihn wolle. Gottlob sei der Lukas ganz anders. Was sie da mit ihm nach der Kirmes erlebt hatte, das habe sie derart durstig gemacht. Sie sei halt auch nur ein elendes Weib und habe auch nur die elenden Gefühle eines Weibes. Aber davon verstünde der da nichts. Nein, Elias Alder sei kein Mann. Das sehe sie – leider.

Elias saß schweigend auf dem Bock.

Es komme ihr so vor, als wolle er überhaupt ohne Weib leben. Aus ihm möchte bestimmt ein geistliches Oberhaupt, ein Prälat oder am Ende auch ein Bischof werden. Wenn es wirklich dahin käme, würde sie, und müßte sie zu Fuß nach Feldberg wandern, bei seiner Weihe anwesend sein. Dann würde sie vor ihn hinknien, den Ring an seiner Hand küssen und still zu sich sagen: «Das ist Elias Alder. Er war mein Freund.»

Während sie mit solchen Gedanken die Zeit vertrieb, befiel sie plötzlich eine seltsame Atemnot. Dreimal schöpfte sie Luft mit offenem Mund, dann wurde ihr Gesicht leichenblaß, und vornüber sackte sie in Ohnmacht. Elias, der jäh erwachte, vermochte sie gerade noch beim Haupthaar zu packen. Dabei schlug sie mit ihrem Kopf hart an die Kante des Kutschbocks. Elias ließ die Zügel frei, riß das Mädchen herauf, damit es nicht vor die Räder falle, schlug ihre Arme um den Hals und preßte mit aller Gewalt den leblosen Körper an sich. «Sie ist doch marode», wollte er ausrufen, aber er kam nicht mehr dazu.

Zum zweiten und letzten Mal in seinem Leben lag Elsbeths Herz auf seinem Herzen, und Elsbeths Herzschlagen ging in sein Herzschlagen, so vollkommen und eins, wie er es damals als Fünfjähriger im Bachbett der Emmer durchlebt hatte. Da brüllte Johannes Elias Alder wiederum so entsetzlich auf, als müßte er bei hellem Verstand sterben. Und sein Wankelmut wurde Lügen gestraft, und die Hoffnung wurde übervoll in ihm, und er schrie in das tiefe Blau des Himmels, daß er ohne Elsbeth nicht mehr leben könne.

Oh, wie hatte er nur daran zweifeln können, daß ihm Elsbeth von Gott vorbestimmt sei!

Er barg den Kopf des Mädchens in seinen unendlich sanften Händen, und als es erwachte, zerstreute er ihr wirres Fragen mit einem einschläfernden «Es ist ja gut, Elsbeth. Alles ist gut». Dann bettete er sie in den groben Grützensack, welchen er für die Ochsen mitgeführt hatte, machte kehrt und karrte heimwärts, immer auf der Hut, ja in kein Loch, auf keinen Stein oder Wurzelstrunk zu fahren. Während er so fuhr, überlegte er, ob es nicht gut wäre, den Schwur zu brechen und dem Mädchen, sobald es genesen, vorsichtig anzudeuten – gewiß über die Dauer einer großen Zeitspanne hinweg – , daß er es liebe und es zum Weib haben wolle. Das erwog er tatsächlich, denn sein Mut war stark geworden.

Etwa zehn Wochen später, an einem schwülen Juliabend, wo es in Eschberg überall nach trockenem Heu duftete, schlich Peter zum Hof des Seff Alder und warf einen Kiesel ins Fenster des Bubengadens. Er müsse seinen Freund in dringender Sache sprechen, rief er hinauf. Elias hieß ihn unverzüglich heraufkommen. Dann eröffnete ihm Peter, daß Elsbeth schwanger gehe, von Lukas Alder, daß es ihr ganz persönlicher Wunsch sei, wenn Elias auf beider Hochzeit die Orgel spiele. Er sei gekommen, ihm das mit eigenen Worten zu sagen, ehe Elias es aus anderen Mündern vernehme.

In Wahrheit aber war Peter gekommen, das Augenlicht des Elias zu sehen, welchen Glanz es bei dieser Nachricht annehmen möchte. Und Peter sah dessen Augenlicht für Momente erlöschen.

Nun hatte Elias die endgültige Gewißheit, daß seine Hoffnung ohne Sinn gewesen war. Nun erkannte er, daß Gott ihn getäuscht hatte, sein Lebtag lang. Da beschloß er, noch einmal eine Nacht im Eschberger Kirchlein zuzubringen. Er ging hin und schrie Gott in sich zu Tode.

Gott fürchtet den Elias

DIE Kirchenpforte donnerte so gewaltig ins Schloß, daß sich das Krachen auf die geschmiedeten Lüster übertrug und sie zum Singen brachte. Oder war es der Schall seines schmerzverrissenen Lachens, der die Lüster in Bewegung setzte? Als er nämlich die Pforte verschlossen hatte, kannte sein Schmerz kein Maß mehr, und er fing an, so entsetzlich zu lachen, als lachte der Teufel über den endlichen Gewinn dieser Welt. Finster wie im Schiff war es in seinem Herzen, und das Ewige Licht der Hoffnung, wie es im Chorraum ängstlich züngelte, war in diesem Menschen nur noch ein kalter abgebrochener Docht.

Er tauchte zwei Finger in den Weihwasserstock und leckte die Finger und tauchte sie wieder hinein und leckte sie abermals. Dann ging er mit wilden, schweren Schritten nach vorn, übersprang den geschnitzten, hüfthohen Lettner und stand vor dem Tabernakel. Er hatte noch immer nicht aufgehört zu lachen, da war ihm plötzlich, als sei er nicht allein in der Kirche. Er verstummte auf der Stelle, wandte sich um ohne Angst und stach mit seinen Augen ins schwarze Schiff. So blieb er unbeweglich, lauschte mit halboffenem Mund, spähte, konnte jedoch weder etwas hören, noch jemanden ausmachen. Er wandte sich zurück, zog den Zunderpilz aus der Rocktasche, steckte die

Altarkerzen an und hernach überhaupt alle Kerzen, die es im Kirchlein zu entzünden galt. Hell sollte es sein, damit Gott ihn sehen könne, wenn er nun zu ihm reden würde. Als er die Kerze der letzten Kreuzwegstation entfacht hatte, ging er wieder zum Tabernakel, berührte das Schnitzwerk mit beiden Händen, liebkoste mit den Händen sein Gesicht und stand lange still. Dann wurde sein Gesicht immer dunkler, und die Adern quollen ihm unter der Stirnhaut hervor.

«Gott, wo in meinem Leben, bist Du??!!» brach es aus seinem Mund und schrie es immerfort, und immerfort schrie es diese Frage. Und als er sich heiser geschrien hatte, bäumten sich die Finger seiner Hände auf, verbissen sich ineinander zu einer pervertierten Geste des Gebets. Er fiel nieder auf die Knie, und erst jetzt vermochte er ruhiger zu sprechen.

«Großer und starker Gott», hub er mit entzündeter Stimme an, «Du Schöpfer aller Menschen, der Tiere, der Welt und aller Sterne. Warum hast Du mich, den Johannes Elias Alder, geschaffen? Heißt es nicht in der Schrift, daß Du vollkommen bist? Wenn Du aber vollkommen bist und gut, weshalb mußtest Du das Elend, die Sünde und den Schmerz erschaffen? Weshalb weidest Du dich an meiner Trauer, an der Mißgeburt meiner Augen, am Kummer meiner Liebe?»

Sein Blick verhing sich am perlenbesetzten Türchen des Tabernakels. «Warum demütigst Du mich? Hast Du mich nicht nach Deinem Ebenbild geschaffen? Also demütigst Du Dich selbst, Du Ungott!!»

Er schlug die Augen zu Boden. «Ich habe nichts mehr zu verlieren, und was ich verloren, habe ich nie besessen. Und doch hast Du mir etwas in die Seele gehaucht, etwas, das mich wie das Paradies dünkte. Du hast mich vergiftet. Warum, Du großer, mächtiger und allwissender Gott, warum kann es Dir gefallen, mir das Glück meines Lebens zu verweigern? Bist Du nicht ein Gott der Liebe? Weshalb also, läßt Du mich nicht lieben? Weshalb mußte sich mein Herz für Elsbeth entzünden? Meinst Du etwa, ich hätte mich aus eigenem Willen für Elsbeth entschieden? Du warst es, der mich zu ihr hingeführt hat. Also habe ich gehorcht, denn ich meinte, es sei Dein Wille. Du gewaltiger Gott! Wie? Kannst Du dich an meinem Irrgehen ergötzen?»

In seine Augen kam wieder der Glanz böser Wut. Er erhob sich vom Boden, ging näher zum Tabernakel und fing abermals an zu schreien. Den Schmerz in seiner Kehle verspürte er nicht.

«Ich bin gekommen, Dich zu verfluchen!! Ich bin gekommen, mit Dir ein Ende zu machen!! Du bist kein liebender Gott!! Die Liebe allein war Dir zu wenig!! Du mußtest den Haß erschaffen, Du mußtest das Böse zeugen!! Oder hast Du etwa den Engel Luzifer nicht erschaffen?! Du hast den Keim des Bösen in ihn gelegt!! Der Engel mußte stürzen, weil es Dein ewiger Plan war!!»

«Also», sagte er mit abgründiger Verachtung, «höre, was ich Dir nun zu sagen habe», und beugte sich nahe zur Tür des Schreines, «wenn Du in Deiner großen Herrlichkeit uns Menschen den Freien Willen gegeben hast», flüsterte er, «dann will ich, Johannes Elias Alder, von dieser Freiheit kosten. Wisse, daß ich mein Unglück nicht annehmen werde. Wisse, daß ich nicht aufhören werde, Elsbeth zu lieben. Wisse, daß ich mich gegen Deine Fügungen stelle. Wisse, daß Du mir keine größeren Schmerzen mehr zufügen kannst, als Du mir zugefügt hast. Von nun an soll Deine Macht nicht mehr in mir wirken. Und wenn ich,

Johannes Elias Alder, untergehe, so ist es mein Wille, nicht Dein Wille!»

Als er diese Worte gesprochen, dachte er jäh daran, sich zu endigen. In seinem elenden Dasein habe sich nicht ein einziger Wunsch erfüllt, zürnte er. Er habe keine Kindheit gehabt, die Eltern hätten sich vor ihm gefürchtet und ihn darum verstoßen. Als er überfrüh zum Mann geworden war, habe man ihm nicht gestattet, in Feldberg das Notenhandwerk zu lernen. Die Liebe zur Musik habe er heimlich auskosten, habe wie ein Kirchendieb auf der Orgel sitzen müssen, in der stetigen Angst, es möchte ihn jemand entdecken. Wie oft habe er den verstorbenen Onkel Oskar angefleht, er möchte ihn in der Musik unterweisen. Auch dieses Begehren sei ihm unerfüllt geblieben. Das alles hätte er willig hingenommen, wenn Gott ihn in der Liebe nicht so grausam getäuscht hätte.

Indem Elias redete, geschah ein Merkwürdiges. Wir können nicht beantworten, ob es nun die Folge seines grell halluzinierenden Geistes war, der das Merkwürdige wahrnahm, oder ob es sich um einen tatsächlich existierenden Umstand handelte. Denn plötzlich dünkte es ihn wieder, als sei irgend jemand im Kirchenschiff zugegen. Er verspürte eine unbestimmte Kraft, eine Art lebendige Wärme, ja beinahe etwas von Hitze, die sich gleichmäßig auf Nacken und Schultern ausbreitete und schließlich auf den gesamten Rücken abstrahlte. Im selben Augenblick entstand ein leiser, aber gespenstischer Klang. Ein weicher Teppich aus unzähligen Tönen erfüllte das Schiff, und Elias war, als bliese ein einziger Mund all diese Töne. Und der Mund ließ ab, und die Töne verhallten, und der Mund setzte wieder an, und die Luft geriet abermals in unendlich sanfte Bewegung.

Jemand spielte die Orgel. Elias Alder wandte sich um. Als er sah, was im Kirchenschiff vorging, blieb ihm schier das Herz stehen.

Nun, das Phänomen des mysteriösen Klanges ließ sich im nachhinein einigermaßen plausibel erklären: Beim letzten Orgelspiel hatte Elias nämlich vergessen, die Register zurückzustellen. Überdies stand das nordseitige Emporenfenster offen, und so mußte von außen ein starker Windstoß in die Schleifladen gedrungen sein und die Luftsäulen der Pfeifen in Schwingung gebracht haben. Nicht erklären können wir allerdings das, was Elias jetzt sah.

«Wer bist Du?» hauchte er mit kalkweißen Lippen und starrte ohnmächtig in die mittleren Bänke der Evangelienseite. «Wer bist Du?» atmete er nochmals, und seine Lippen bebten ihm vor Angst. Das weiche Heulen der Pfeifen schwoll wieder an und verebbte, und die überlängten Schatten der Kreuzwegskulpturen zitterten vom unruhigen Talglicht der Kerzen. «Woher bist Du gekommen?» frug Elias mit heiserer Stimme, den Laut der Todesangst darin.

Ein graugelber, fahler Lichtschein strich über das verbundene Haupt des Kindes und fiel hinab auf die engen und entblößten Schultern, denn sein grobgewirktes Jäckchen war zerrissen und zerlumpt.

«Wer Du auch bist, ich fürchte Dich nicht!» sprach Elias mit glarenden Augen. Sein Herzschlagen fand mählich in den alten, ihm eigenen Rhythmus. Als er sich wieder gefaßt hatte, ging er hinüber zur Osterkerze, nahm den Wachsstamm vom Leuchter, überstieg den Lettner und näherte sich vorsichtig der Bank, in welcher das zerlumpte Kind mit dem verbundenen Haupt kauerte. Er sah, daß es etwas in den Händchen hielt, ja daß es damit spielte. Wie es den Kopf für einmal kurz neigte, meinte er an der Schläfe schwarze, faustgroße Flecken gesehen zu haben. Je näher er kam, desto größer wurde die Wärme, welche von dem Kind auszugehen schien. Es war eine geheimnisvolle Wärme, die von innen her strahlte, ihn unerklärlich glücklich machte und der Seele einen herrlichen Frieden gab. Elias wagte keinen Schritt mehr. Er hob die Kerze ein wenig, und nun gewahrte er die volle Gestalt der Erscheinung.

Er sah ein Kind, dessen Antlitz er in Eschberg noch nie gesehen hatte. Es saß in der Bank und spielte mit einem Gebetbuch. Blätterte in den Seiten, befühlte mit neugierigen Fingerchen das rauhe Papier, ließ die Blätter wieder fliegen, führte das Buch zum Mund, biß die Zähnchen in den Lederdeckel und fing abermals an, die Blätter fliegen zu lassen. Elias beobachtete dies schweigend, und er fühlte in sich eine unerklärliche Ruhe. Er blickte auf den Kopf des Kindes. Dort haftete ein eng gewickelter Linnenverband, und an der linken Schläfe breitete sich ein großer, schwarzer Flekken aus, als sei es vertrocknetes Blut. Elias blickte auf den in braune Fetzen gehüllten, wehrlosen Körper des Kindes. Er sah, wie der Körper fror, und er sah, daß er vom Schrund verzehrt war. Dann entdeckte er am Körper ein geheimnisvolles Mal: Das Kind hatte keinen Nabel.

«Bist Du Gott?» sprach er mit wiedergefundner Stimme. Da hob das Kind den Kopf zu Elias auf und blickte ihn an. Und das Licht, das aus den großen dunklen Kindsaugen trat, umfing Elias Alder wie mit hypnotischer Gleichgültigkeit. «Herr, gib mir die ewige Ruhe», lallte Elias entgeistert, «und das ewige Licht leuchte mir.» Und Johannes Elias Alder erkannte das Kind.

Unsäglich sehnte es ihn nach der Schönheit, welche aus den geheimnisvollen Kindsaugen strahlte, und er wollte wenigstens die bloßen Füßchen berühren dürfen. Als er aber die Hand ausstreckte, riß der Körper des Kindes auf. Der Mund öffnete sich qualvoll, wollte sprechen und vermochte es nicht. Da mußte Elias sehen, wie der schwarze Flecken an der Schläfe zu glitzern anfing, wie sich um den Flecken ein nasser Hof ausbreitete. Die Wunde hatte zu bluten begonnen. Das Kind quälte sich noch immer, suchte zu sprechen, allein, es gelang ihm nicht. Und als es endlich den Mund wieder geschlossen hatte, drang ihm Blut zwischen den Lippen hervor. Elias streckte die Hand noch einmal nach dem Kind, langsam und mit ungemein zärtlicher Geste. Wieder riß der Kindskörper auf, und wieder suchte sein Mund zu sprechen.

Da ahnte Johannes Elias Alder, daß er das Kind nicht berühren durfte. Dann schwanden ihm plötzlich die Kräfte des Körpers, und ohnmächtig vor Sehnsucht brach er zusammen.

Er blieb zwischen den Bänken liegen, bis ihn am Morgen der Köhler Michel wachrüttelte. Als Elias die Augen öffnete, entglitt dem Michel ein gellender Schrei. Elias hatte die Farbe seiner Pupillen verloren. An die Stelle des grellen Gelbes war ein dunkles Grün gekommen, ein Grün, wie es die Bündten tragen, wenn es aus schwarzverhangenen Himmeln regnet. In Wahrheit jedoch hatte Elias Alder die Farbe seiner Pupillen wiedererlangt. Aber das konnte der Michel nicht ahnen.

In jener Nacht sei – erzählte eine überglückliche Seffin ihrem Buben später – der halbgelähmte Vater plötzlich erwacht. Er sei aufgestanden und habe auf einmal wieder reden können. Das Ganze habe gewährt länger als eine halbe Stunde. Und sie schwöre bei Gott und den Heiligen, daß es nicht ein Traumgesicht gewesen sei.

In der Fremde

DAS Wiedererlangen der natürlichen Augenfarbe war nur sichtliches Zeichen dessen, was in jener mystischen Nacht an Elias geschehen war. Aber das verwundete Kind hatte noch ein anderes Zeichen, ein bedeutsameres, gewirkt: Er mußte nicht mehr lieben. Sein Herz war plötzlich befreit von dieser furchtbaren Sehnsucht. Das Mädchen Elsbeth war ihm gleichviel geworden.

Wurde unerwartet eine Tür geöffnet, schrak er nicht mehr übernervös auf. Sah er ein Weib von der Ferne zum Hof herkommen, steigerte sich sein Pulsschlag nicht mehr. Hörte er nächtliches Weibergelächter beim Dorfbrunnen, suchte er nicht mehr Elsbeths Lachen darin. Er war erlöst.

Erlösung aber ist die Erkenntnis der Sinnlosigkeit allen Lebens. Das lernen wir aus den Lebensgeschichten der Großen dieser Welt. Jesus, als er erlöst war, empfand keine Neigung mehr, länger in dieser Welt zu wirken. Er ging und kam nicht mehr wieder. Die Heiligen des Bösen und des Guten, die Tyrannen der Menschheit, als sie ihr Werk vollbracht, suchten oder fanden den Tod vor ihrer Zeit. Wir stellen unseren Helden nicht in die Reihe dieser Heiligen. Aber ihm wiederfuhr dasselbe Schicksal: Sterben wollte er.

Sterben wollte er paradoxerweise zu einer Zeit, als es mit seinem Leben äußerlich gesehen bergan ging. In den Sommermonaten des Jahres 1825 – es ist sein Sterbejahr – schien ein glücklicher Zufall sein Schicksal plötzlich zu verkehren. In jenem ereignisreichen Sommer entdeckte der Cantor Bruno Goller, Domorganist zu Feldberg, das geniale Talent unseres Musikanten. Wie es gekommen und wie die Sache zugegangen ist, davon sollen die kommenden Abschnitte unseres Büchleins Zeugnis ablegen.

Man verdenke sich einmal in die Seele des Elias, wie er auf der Orgel sitzt und zu Elsbeths Brautmesse die Musik macht! Denn er war ihrem herzenshaften Wunsch nachgekommen, die Hochzeit auf der Orgel zu begleiten. Damals heiratete man in traditionellem Schwarz und tut es im Vorarlbergischen heute noch, gemäß der Auffassung, daß nicht einmal die Hochzeit ein Freudentag sein darf, weil durch die Freude die Sünde in die Welt gekommen sei. Tatsächlich schien Schwarz der gebührende Ton für damalige Hochzeiten. Selten wurde aus Liebe Hochzeit gehalten. Dessenungeachtet war Elsbeth eine glückliche Braut. Das zierliche Mädchen mit dem Knollennäschen kniete steif in der Brautbank und gestattete sich nur hie und da einen knappen Blick nach Lukas' Seite. Es sah ein zufriedenes, ja vor lauter Zufriedenheit einfältig schlaffes Gesicht. Das bestärkte Elsbeth in dem Glauben, daß Gott in seiner Weisheit sie zu diesem lieben Menschen geführt habe. «Und es stimmt schon», dachte sie, «der Lukas ist gut zu den Tieren. Habe ihn noch nie eines schlagen oder beschimpfen gesehen.»

Elias entwarf eine moderate, sehr kunstvolle, aber durchaus teilnahmslose Musik – eben die Musik eines Organisten, der auf vielen Hochzeiten spielt und keinen Anteil am Geschehen nimmt. Er erinnerte sich der Zeit, als er über das Metrum von Elsbeths Herzschlagen prachtvolle Kathedralen aus Musik errichtet hatte. Aus einer fernen Sympathie für das Mädchen gedachte er, dies beim Postludium noch einmal zu tun. Er ging in sich, lauschte, mühte sich aber nicht sonderlich, das Metrum zu finden, ließ den Gedanken wieder sein und postludierte dann fürwitzig über die Melodie eines Wiegenliedes. Dort hinein bettete er den halbherzigen Wunsch, Elsbeths Kindlein möchte ein an Leib und Seele gesundes werden. Als hernach auf dem Kirchplatz jedermann dem Paar die Hand drückte, trat auch Elias hinzu und zwängte sich in das wartende Knäuel. Er reichte Elsbeth eine warme, gesunde und starke Hand. Ja er scherzte sogar und flüsterte weich, daß es keiner hören konnte: «Wenn es zur Taufe kömmt, so müßt ihr mich zum Paten nehmen.»

«Versprochen», sagte Lukas, doch Elsbeth wand schnell ein, daß beides nicht gehe: Orgelspiel und Patenschaft.

«Warum denn nicht?» lachte Elias. «Ich werde spielen, dann hastig von der Orgel steigen, taufen helfen, wiederum zur Orgel eilen, wiederum taufen helfen und so fort.»

Alle mußten lachen bei der Vorstellung dieses Bildes, Elias am allerherzlichsten. Elsbeth sah ihm kurz in die Augen, an deren Licht sie sich noch immer nicht gewöhnt hatte.

In diesem Moment zog ein Schatten von Melancholie über ihr Gesicht. Vielleicht ist es Einbildung, denn wir wollen einfach nicht begreifen, weshalb sich diese beiden Menschen niemals finden durften. Drum glaube der Leser mit uns, daß über Elsbeths Antlitz ein melancholischer Schatten gezogen ist.

«Ist das noch Elias?» dachte Peter unruhig. «Wie kann er so vergnügt sein, ihr scherzend die Hand geben?» Peter begriff den Freund nicht mehr. Wie dann Elias beim Hochzeitsmahl zu aller Ergötzen Eschberger Stimmen imitierte, wurde Peter fast zornig, saß mit rotem, reglosem Gesicht stumm bei der Tafel und krallte die Finger ins Tischlinnen.

«Lügner, du!» beschimpfte er ihn, als sie zur Morgenröte nach ihren Höfen wanderten. Elias blickte ihn verdutzt an. «Auf einmal bedeutet sie dir nichts! Du hast sie nie geliebt!» sprach er mit böser Leidenschaft.

«Es ist gut, wie es ist», sagte Elias gähnend.

«Nichts ist gut, nichts!!» schrie Peter zornig.

«Was ereiferst du dich, mein Freund?» sprach Elias beruhigend. «Ich habe erkannt, daß Elsbeth einem anderen gehört. So ist der Lauf der Welt. Wir blinden Menschen müssen versuchen, die Spuren der göttlichen Wege zu finden. Mehr zu leisten, ist uns auf dieser Welt nicht gegeben.»

«Du hast es nie wirklich versucht», sagte Peter mutlos, «warst nie Manns genug, ihr dein Begehren zu eröffnen.»

«Hast du es etwa versucht?» frug Elias müde. «Hast du mir je dein Begehren eröffnet?»

Da schwieg Peter und wich ohne Gruß von seinem Freund.

In den folgenden Wochen mußte Elias erkennen, daß ihm nichts mehr Lust oder Leidenschaft machte. Die Schule, die er früher so gern gehalten hatte, langweilte ihn, und das Geschrei der Kinder wurde ihm lästig. Wenn er des Morgens erwachte, war er müde und blieb es den halben Tag lang. Das war nie seine Art gewesen. Er war aufgestanden und wach gewesen, hatte durchs Fenstergaden den Tag besehen und dabei Freude verspürt. Die gleißend gelben, herrlich duftenden Sommermorgen erweckten nun kein Interesse mehr in ihm, und der Morgen war ihm nicht mehr ein Bild neuer Hoffnung. Alles dünkte ihn leer, längst gesehen und verlebt. Sein Herz war gealtert. Saftlos war es geworden wie ein verdorrter, überzeitiger Apfel auf Mutters Herd.

Mit dem letzten ihm verbliebenen Lebensmut beschloß er drum noch einmal, die alten Zeiten heraufzubeschwören. Er ging an die Orte und Plätze seiner einstigen Leidenschaft, suchte in den Gerüchen der Bündten die Kraft von ehedem, verspürte aber nichts denn Langeweile und Schalheit. «Du hast sie nie geliebt.» Peters Anklage klang ihm unvergeßlich in den Ohren. «Habe ich sie wirklich nicht geliebt», sprach er mit sich und kaute am Stengel einer Sauerampfer. «Wie? Wenn ich noch einmal zu lieben anfinge? Wie? Wenn ich mich wirklich gegen Gottes Plan stelle? Selbst die hoffnungsloseste Leidenschaft ist leichter zu ertragen, denn keine Leidenschaft.»

Als er so mit sich Zwiesprache hielt, setzte sich ein weißer Schmetterling auf seinen Unterarm. Und bald tänzelte ein anderer aus der blauen, sirrenden Luft. Dann gaukelten sie aufeinander zu und flatterten launig davon. Elias erinnerte sich an die erste Nacht, welche er heimlich auf der Orgel zugebracht hatte. Erinnerte sich an die erste Komposition seines Lebens, wie er zur Melodie eines Weihnachtsliedes eine zweite Melodie entworfen hatte – nach eben dem Bild zweier Zitronenfalter, denen er einmal als Kind mit nachträumenden Augen gefolgt war. Da war ihm, als müßte er weinen. Er wollte weinen und konnte es nicht. Er stand vom Gras auf, ging zum Wegpfad und schwor sich, es mit der Liebe ein letztes Mal zu versuchen. Er wollte die Bilder, die Gerüche, die Hoffnungen und

Sehnsüchte in all ihrer einstigen Kraft zurückholen. Damit – er ahnte, oder wußte es gar – war sein Untergang besiegelt. Das ungeheuerliche Gesetz, wonach eine jede Liebe immer in den Tod führt, sollte sich an diesem Mann auf eine abscheulich pervertierte Weise erfüllen.

Wir wenden uns von ihm eine Zeitlang ab und wollen nicht das gigantische Irrbild beschreiben, in das er sich nun selbstbelügend geflüchtet hatte. Trotzdem begreifen wir seine Verzweiflung: War nicht sein ganzes Leben ein irrwitziges Zerrbild göttlicher Verfehlung gewesen?

Der Sommer, das erwähnten wir schon, war überaus ereignisreich, und zwar auf mancherlei Weise. Zu Anfang Juli hatten die Eschberger den Plan gefaßt, den Dorfweg in Fronarbeit zu verbreitern, so daß «wenigstens der Gespanne zween gütlich aneinander fürbeikömmen», wie es im Beschluß hieß. Die Zeit des mittelalterlichen Schlafs neigte sich auch in Eschberg dem Ende zu, und in den vorarlbergischen Städten hatten bereits waghalsige Spekulanten damit begonnen, kuriose Bauwerke zu errichten, welche sie hernach mit dröhnenden Ungetümen aus Eisen auffüllten. Das Stickereiwesen faßte Fuß. Es würde dieses elende Bauernland dereinst in ein prosperierendes Zentrum elender Geldsüchtigkeit verwandeln.

Der Plan zur Verbreiterung des Dorfweges stammte aus der Feder des Nulf Alder. Mit der lachhaften Entmündigung durch den Sohn hatte man ihm auch gleichzeitig das Amt des Ortsvorstehers entrissen, aber das Wort des wüsten Alder wog in gewissen Kreisen noch immer. Seit Elsbeths Vermählung lebten er und sein Weib auf dem Hof des Lukas Alder. Dies hatte Peter als Morgengabe ausbedungen. Und um Lukas die Sache schmackhafter zu machen, gab er ihm drei anstelle der zwei versprochenen Milchkühe zur Mitgift.

Zu der Zeit lag eine zuhöchst eigentümliche Stimmung über dem Dorf. Es hatte den Anschein, als sei in die Gemüter eine unerklärliche Unruhe gekommen. Diese zeigte sich in einer Art übernervöser Geschäftigkeit. Viele Bauern hatten bereits den zweiten Schnitt eingebracht, als gälte es, gegen die Zeiten des Jahres zu rennen. Weil sie aber das Gras viel zu früh gemäht hatten, wurden ihre Heustöcke nicht einmal drittelvoll. Einige junge Männer fingen an, ohne ersichtlichen Grund täglich nach Götzberg zu wandern, weil ihnen die Enge des Dorfes lästig geworden war. Dort knüpften sie Kontakte zu meist undurchsichtigen Subjekten, und je länger sie nach Götzberg gingen, desto wirrer wurde es in ihren einfältigen Grindern. Ihr Wortschatz wurde reicher, farbiger und verderbter, und der Lamparter Matthä schwadronierte von Automatenvieh und automatischen Melkkübeln, welche er bei einem Götzberger Bauern aufgestellt gesehen habe. Modern waren die Zeiten geworden, das ist wahr. Im August führte man unter heftigen Protesten – vor allem von älterer Seite – das sogenannte ‹Petroleum› ein. Ein Öl, mit dem schon Jahre zuvor der Meistenteils sein Stübchen wundersam erhellt hatte, und mit welchem er schließlich übergossen und verbrannt worden war.

Die Kerle brachten ominöses Schrifttum ins Dorf, welches ihnen gewiefte Götzberger Bankrotteure um teures Geld verkauften. Bebilderte Schriften waren besonders begehrt, und die schluckten sie dann wie die Säue die Apfelrinden in sich hinein, glarten mit baffen Augen und offenen Schwellmündern auf die geschmacklos arrangierte Nudität. In diesem Zusammenhang ist das Schicksal des Köhler Michel zu erzählen, welches sich in jenen Monaten auf das allergefährlichste zuspitzte.

Auch den Michel hungerte nach Bildung. Er war einer dieser Kerle, welche täglich nach Götzberg schritten und spätabends mit fiebrigen Köpfen nach Hause stampften. Ein gewisser Markus Huffer, ein fliegender Händler, der gotteslästerliche Schriften verbreitete und deshalb etliche Male in den Dorfkotter gesperrt worden war, hatte ihm Herders ‹Ideen zur Philosophie der Geschichte der Menschheit› aufgeschwatzt. Der Köhler Michel subskribierte glatt das gesamte Opus, und seit dieser Lektüre war es um ihn schlecht bestellt. In dem Buch nämlich stieß er auf die Beschreibung eines Menschengeschlechts, dessen Art und Leben ihm derart Fernweh machte, daß er beschloß, selbiges aufzusuchen und dort den Rest seines Lebens zu verbringen.

«Der Kalifornier», stand in dem Buch geschrieben, «am Rande der Welt, in seinem unfruchtbaren Lande, bei seiner dürftigen Lebensart, bei seinem wechselnden Klima; er klagt nie über Hitze und Kälte, er entgeht dem Hunger, wenn auch auf die schwerste Weise, er lebt in seinem Lande glücklich. Viele von ihnen ändern ihr Nachtquartier vielleicht hundertmal in einem Jahre, daß sie kaum dreimal nacheinander auf dem nämlichen Platz und in der nämlichen Gegend schlafen. Sie werfen sich nieder, wo sie die Nacht überfällt, ohne alle Sorge wegen schädlichen Ungeziefers oder Unsauberkeit des Erdbodens. Ihre schwarzbraune Haut ist ihnen statt des Rockes und Mantel. Ihre Hausgeräthe sind Bogen und Pfeil, ein Stein statt des Messers, ein Beil oder spitziges Holz, Wurzeln auszugraben, eine Schildkrötenschale statt der Kinderwiege, ein Darm oder eine Blase, Wasser zu holen. Und dennoch sind diese Armseligen gesund: sie werden alt und stark, so daß es ein Wunder ist, wenn Einer unter ihnen und dieses gar spät, grau wird. Sie sind allezeit wohlgemuthet: ein ewiges Lachen und Scherzen regiert unter ihnen: wohlgestalt, flink und gelenkig.»

Das Land des Kaliforniers, wo die Weiber unbekleidet und von schwarzbrauner Haut gestaltet, wo die Menschen allezeit fröhlich waren und wo ewiges Lachen herrschte, dieses Land mußte unser Köhler Michel finden und koste es das Leben. Also begab er sich auf die Wanderschaft, verabschiedete sich von den Seinigen und vom Kuraten Beuerlein, der ihn beim Versuch, Abschied zu nehmen, nur desto freudiger willkommen hieß, wanderte hinein ins Arlbergische und vagabundierte rastlos von einem Ort zum anderen. Im Rucksack hatte er nicht einmal drei Schildbrote, aber in den ehrfürchtigen Händen hielt er die wahre Nahrung: «Die Ideen zur Philosophie der Geschichte der Menschheit».

Niemand wußte ihm das Land des Kaliforniers zu bedeuten, und so irrte er in abenteuerlichen Märschen über den Rätikon und durch die Bergamasker Alpen und wurde schließlich in Lecco von einem Lohgerber halbverhungert aufgegriffen. In Lecco blieb er acht Wochen, dann riß er aus und wurde seither im Lombardischen steckbrieflich gesucht. Er hatte nämlich den Lohgerber, seinen einstigen Lebensretter, aus Notwehr erschlagen, weil ihm dieser rohverfaulte Metzgereiabfälle aufgetischt hatte. Der Michel flüchtete hinüber ins Piemont und hinunter zur Ligurischen Küste. Dort wurde er Matrose zur See auf einem Levantinischen Kaffeeschiff. Er war nie in der Lage gewesen, mit Geld hauszuhalten, drum hatte er binnen einer Stunde die Heuer mit Dirnen durchgebracht. Auf einer Seefahrt geriet das Schiff vor der Küste von Toulon in Seenot, aber Gott ließ den Michel nicht ersaufen, sondern schwemmte ihn just vor die Füße eines Toulоner Metzgermeisters. In dessen Schlachthaus diente er zehn weitere Monate, ohne im leisesten den Plan zu verlassen, endlich das Land der Kalifornier zu finden. In Toulon ließ er sich einige Sittlichkeitsdelikte zuschulden kommen, denn er meinte anfänglich, im dunklen Teint der Weiber die schwarzbraunen Kalifornier erblickt zu haben. Der Michel mußte abermals flüchten, und er beschloß, nachdem er den Kalifornier nicht gefunden hatte, er zudem ins dreiundvierzigste Jahr gekommen war, in seine Heimat zurückzukehren, dort sein Leben als gereifter, einfacher Bauer abzurunden. Die Rückreise war noch beschwerlicher, zumal er in den Walliser Alpen am Nervenfieber erkrankte. Und wer dort diesen zwar von Natur aus häßlichen, jetzt aber ausgemergelt-elenden Mann gesehen hat, dem wurde leid ums Herz.

Es führte zu weit, all die Stationen seines Lebens aufzuzählen. Festhalten dürfen wir noch, daß der Köhler Michel tatsächlich wieder heimgefunden hat. Eigentümlicherweise ließ er sich aber nicht mehr in Eschberg nieder, sondern verdingte sich im Hohenbergischen als Stallknecht. Im Lauf der Jahre beruhigte sich sein abenteuerliches Herz, ja er ehelichte gar noch ein Weib auf seine alten Tage. Den fünfzehn Kindern, die ihm das Weib gebar, mußte er stets aufs neue von jenen geheimnisvollen Schwarzen berichten, den sogenannten Kaliforniern, welchen er vier Jahre als Häuptling vorgestanden hatte.

Wir verlieren den Köhler Michel für immer aus unseren Augen. Er starb in methusalemischem Alter von einhundertacht Jahren, sein Todesjahr war die Wiege dieses Jahrhunderts. Die Kinder und Kindeskinder haben dem Vater zur Ehre gereicht, denn noch heute gibt es in der Gegend des Hohenbergischen drei vortreffliche Dichter geistlicher Prägung. Am Schicksal des Köhler Michel mag man ermessen, welch gewaltige Kraft das geschriebene Wort in jener Zeit noch besessen hat.

Die Unruhe der Herzen, der Geschmack einer neuen Epoche, die Sehnsucht nach der Fremde, das alles ging an Elias Alder spurlos vorbei, ja er registrierte es nicht einmal. Er gehörte nicht zu denen, welche sich in Götzberg umtaten. Er las die bebilderten, abgegriffenen Hefte nicht, welche heimlich durchs Dorf zirkelten. Sein Wortschatz blieb derselbe, wie überhaupt seine Rede verarmte.

Wenn er abends zum Nachtbrot aus dem Gaden hervorkroch, setzte er sich stumm an seinen Platz beim schweren Eichentisch, schlürfte unhungrig von der Einbrennsuppe und sprach keine einzige Silbe. Wir wünschten, ein Maler hätte die ewig gleichförmige Episode beim Alderschen Nachtmahl festgehalten: Durch die kleinen, südseitigen Küchenfenster fließt milchweißes Abendlicht. Die Seffin in ihrer blauen Schürze löffelt mit gichtigen Händen Suppe in den verzogenen Mund ihres Mannes. Philipp, der Idiot, rollt die Augen, und Fritz schlägt eben das Kreuz über die Stirn. Ist es faßlich, daß in dieser Szene des Elends der genialste Musiker sitzt, den das Vorarlbergische je hervorgebracht hat? Ist es faßlich, daß hier ein Genius lebt, der vermöge seiner musikalischen Intelligenz Dinge zu sagen hätte, welche die Musikgeschichte des 19. Jahrhunderts um ein Gewaltiges voranbringen könnte? Es ist nicht faßlich. Vielmehr kommt es uns vor wie ein großes, trauriges Märchen.

Die letzten Wochen im Leben dieses Mannes sind durchzogen von wüsten Phantasmagorien der Schuld und der Verzweiflung. Es ist recht zu behaupten, daß, als er den Entschluß gefaßt hatte, zu sterben, er bereits verrückt geworden war. Anders läßt sich die unglaubliche Todesart nicht begreifen. Im Glauben, er könne die Zeit zurückdrehen, verfiel er in krankhafte Vergangenheitssucht. Einmal gab er öffentlich an, er sei erst siebzehn Jahre alt, sein älteres Aussehen sei die Folge des überfrühen Pubertierens gewesen. Nach dem Kalender war er zweiundzwanzigjährig, und wenn man nach der rechten Wahrheit forscht, war er älter als vierzig Jahre. Mit schrecklicher Verzweiflung kultivierte er die Lüge in sich, Elsbeth sei noch unverheiratet, sei unberührt und bleibe es, bis die Zeit und Reife komme, wo er um ihre Hand anhalten würde. Sosehr er sich quälte, die Intensität der Vergangenheit auferstehen zu lassen, so wenig gelang es ihm. Er wußte, daß er Elsbeth nicht mehr liebte. Er wußte, daß Gott ihm nun auch noch die Fähigkeit zur Liebe genommen hatte. Der Gedanke war ihm derart unerträglich, daß er ihn schließlich unter masochistischen Schmerzen aus seinem Gehirn vertrieb. In Wirklichkeit, und das wollte Elias Alder nicht begreifen, hatte Gott ihn von der Liebe zu Elsbeth Alder befreit. Gott wollte ihn leben lassen, denn es gereute ihn, als er sah, wie sehr dieser Mann an der Liebe litt.

Aber ist es dem Leser nicht auch schon begegnet, daß, wenn er meinte, sein Geschick ziehe sich unheilvoll über ihm zusammen gleich schwarzen, tiefhängenden Wolkenmassen, er endlich doch noch einen Flekken gefunden hat, den ein dünner Sonnenstrahl hoffnungsvoll beschien? So geschah es mit Elias Alder.

Am zweiten Sonntag im August betrat ein Fremder das Örtchen Eschberg. Es war ein nach Städter Art gekleideter, unscheinbarer Mann mit Zwirbelschnurrbart und hohem, dunkelblauem Hut. Nebst einem großen Rucksack trug er ein Konvolut von geschnürten Papieren bei sich. Dieser Mann war ein Musiker. Es war der Domorganist zu Feldberg. Er hieß Bruno Goller. Dieser Goller kam nicht aus dem ungefähr nach Eschberg. Er war einer jener frühen Pioniere, welche sich gemäß ihres Faches um die Aufzeichnung der Landesgeschichte bemühten. Nun, Goller kam im Auftrag des sogenannten Institutes der hochedlen und klassischen Künste zu Feldberg, welchem das Musicalische Institut angegliedert war. Goller war aufgetragen worden, sämtliche Orgeln des Landes zu besichtigen und selbige in einem großen Register akkurat zu beschreiben.

Was Goller am zweiten Augustsonntag in Eschberg entdeckte, war eine schlichte, fünfstimmige Orgel und den grandiosesten Organisten, den seine kleinmeisterlichen Ohren jemals gehört hatten.

«Wer in Cäciliens Namen seid Ihr?» stammelte Goller, als er den Elias die Emporenstiege herabschleichen sah. Goller schluckte und drehte immerzu seinen hohen Hut in den Händen. «M.m.ein Name ist Goller. Friederich Fürchtegott B.b.runo G.g.oller», stotterte er und streckte ihm den Hut anstelle der zittrigen Hand entgegen. Elias blickte ihn mit schlaffem Gesicht und leeren Augen grußlos an.

«D.d.d.omorganist zu Feldberg, C.c.antor auch», fügte Goller ängstlich hinzu. Als er sich etwas gefaßt hatte, frug er nochmals, wer Elias sei, bekam jedoch keine Antwort.

Da trat Peter, der die Szene beobachtet hatte, hinzu und begrüßte den Fremden. «Herr», schmeichelte er eilfertig, «es ist unser Elias Alder, Organist und Schulleiter von hier, und ich bin sein Cousin und Freund und bescheidener Balgtreter.»

Weil Elias keine Antwort gab, besprach sich Goller mit Peter. Noch nie habe er ein derart genialisches Orgelspiel gehört. Wild und primitiv und doch von so erhabener Größe. Noch nie habe er einen derartig vertrackten Kontrapunkt vernommen. Das sei schlichtweg eine Sache der Unmöglichkeit. Er habe es zuwege gebracht, die vier Choräle der Messe als vierstimmiges Quodlibet zu spielen, ohne auch nur eine Note zu ändern. Das sei rundheraus unmöglich, man müsse ihm unverzüglich die Orgelnoten dieser gewaltigen Composition vorlegen. Er wolle selbige noch einmal prüfen. Dann die Kommunionfuge, die er ja quasi unam fugam gespielt, habe eine derart vulkanische Kraft besessen, wie man sie nirgendwo in der Orgelliteratur finden könne. Im Postludium über den Choral «Christ unser Herr zum Jordan kam» habe er förmlich das Wasser des Jordan stürzen gehört, und die chromatische Verdichtung bei den Worten «erseuffen auch den pittern Todt» sei ihm derart durch Mark und Bein gegangen, daß er sich jetzt noch an seinem Hut festhalten müsse. Ob die Herren nunmehr die Freundlichkeit besäßen, ihm die Partituren aller gespielten Stücke vorzulegen …

«Mein Herr», hub Elias plötzlich an, «ich bin des Notenschreibens nicht kundig.» Es entstand eine kurze Stille, Peter lächelte etwas blamiert und Goller ließ wieder seinen Hut durch die Hände kreiseln.

«Ihr könnt nicht …?» Goller blieben die Worte im Halse kleben.

«Nun ja», warf Peter hastig ein, «er hat sich das Orgeln selber beigebracht. Unser verstorbener Herr Lehrer, der konnte die Noten lesen und schreiben auch.»

Goller ließ sich auf der Ledigenbank nieder. «Keine Noten?» frug er ungläubig und leise.

«Seht selber!» plusterte sich Peter auf, «außer Oskars Büchern werdet Ihr nichts finden!»

Da begriff Goller allmählich. «Keine Noten», schnappte er mit seinem Karpfenmaul, «keine Noten.» Elias wollte gehen, aber Goller hielt ihn fest. «Ich bitte Euch! Improvisiert noch einmal auf der Orgel, ich bitte Euch!» bettelte er unablässig, und so bestiegen sie zu dritt die Orgelempore.

Nachdem Goller abermals das schier Unmögliche gehört hatte, sprach er leise zu Peter, der Organist müsse in Cäciliens Namen ohne Säumnis nach Feldberg ans Musicalische Institut kommen. Denn es treffe sich gut: In knapp zwei Wochen fände dort das alljährliche Orgelfest statt, worin die Eleven im extemporierten Orgelspiel geprüft würden. Zwar verstand Peter nicht jedes Wort, aber er versprach dennoch, sich mit Elias zur besagten Zeit dort vorstellig zu machen. Peter ahnte nämlich, daß dies der größte Triumph im Leben seines Freundes werden würde.

Bruno Goller verließ Eschberg noch am selbigen Vormittag, ohne das Orgelwerklein in seinem großen Register akkurat beschrieben zu haben, weshalb es auch in seiner späteren Schrift «Das Vorarlbergische Orgelschätzlein» nirgendwo aufscheint. Die Begegnung mit der Musik des Elias Alder hatte ihn vollkommen verstört, und er war etliche Tage nicht imstande, einen ruhigen Gedanken zu denken. Als er das wieder vermochte, reute ihn die Einladung bitter. Es möchte sich am Ende ereignen, rumorte es im engen Musikerherzen, daß dieser Elias Alder dereinst zum Rivalen wachsen könnte. Und was, in Cäciliens Namen, wenn die derzeit vakante Stelle des zweiten Domorganisten an diesen Mann vergeben wird? Goller verließ augenblicklich seine Studierkammer, denn er mußte sich in seinem Rosengärtchen frische Luft verschaffen. Das müsse man um jeden Preis verhindern, daß dieser Herrgottskerl ...!

Am letzten Sonntag im August brachen die Freunde gen Feldberg auf. Es war ein lähmend heißer Sommermorgen, und schon am Vormittag flirrte die Luft über dem Horizont. Es hatte Peter große Anstrengung bereitet, den Freund überhaupt dahin zu bringen, die Reise anzutreten, denn Elias war zwischenzeitlich derart apathisch geworden, daß er nicht einmal mehr seinen Körper waschen mochte. An diesem Sonntag wäre er lieber im Bett geblieben, hätte bei geschlossenen Fensterladen über das Geheimnis der Unmöglichkeit seiner Liebe sinniert, so wie er es seit geraumer Zeit zu tun pflegte. Mit einer verantwortungslosen List war es Peter aber gelungen, den lebensmüden Freund aus der Bettstatt zu treiben. Er hatte ihm nämlich das Gerücht vorgesetzt, daß der Lukas Alder am Grindfieber erkrankt sei. Wer weiß, vielleicht sei Elsbeth bald wieder frei. Elias wußte wie er, daß das nicht stimmte. Aber der Gedanke, Elsbeth sei frei, gab ihm Kraft für den Weg nach Feldberg.

Als sich Elias verabschiedete – dem gelähmten Seff blickte er wortlos ins Gesicht, die Mutter schlief noch, Fritz molk die erste Milch – , da sträubte sich Philipp mit Händen und Füßen. Elias suchte das Kind in jener Lautsprache zu beruhigen, welche er ihm beigebracht hatte. Aber Philipp zornte nur desto lauter. Wie ein

Kälblein, das man an Stricken aus der Wärme des Stalles zieht, um es hernach zum Schlachten zu führen, so bockte Philipp. Mochte es sein, daß der Idiot ahnte, Elias würde niemals mehr auf den Hof zurückkehren?

Am späten Nachmittag, als die Sonne aufgehört hatte zu lärmen, betraten die Freunde barfüßig das Städtchen Feldberg. Peter kannte den Weg noch gut. Er war ihn damals mit Nulf gewandert, das Erbe zu besiegeln. Drum ließ er es sich nicht nehmen, dem Freund die vortrefflichen Sehenswürdigkeiten Feldbergs zu zeigen.

Ehe man von Norden kommend in das Städtchen einzog, führte die Landstraße an einem steinernen, urerdenklich alten Haus vorbei. Neben dem Haus stand ein längst baufälliges Steinkirchlein. Es handle sich um das Feldberger Siechenhaus, dozierte Peter. Wenn sie Glück hätten, fänden sie ein paar Sieche, welche man aufgrund ihrer bösen Maladitäten dort gefangenhalte. Die beiden betraten den steinbepflasterten Hof des Hauses, und tatsächlich vermochte Elias etliche Gestalten auszumachen, von Schrund und Eiter entstellte Gesichter, elende Augen und teils verbundene, teils offene Glieder, von Altersfäule zerfressen. Peter konnte von diesem Schauspiel nicht genug bekommen, ging zu den schwervergitterten Fensterscharten und glarte begierig auf die elende Kreatur.

Die einstige Stadtmauer war zu jener Zeit bereits geschliffen worden, es existierten aber noch etliche riesige Steinhaufen davon. Das bedeutendste Wahrzeichen von Feldberg war schon damals der achtgeschossige, über ovalem Grundriß erbaute Wehrturm. Die Legende berichtet, daß in Feldberg zur Zeit des Geschlechts der Montforts eine unvorstellbare Katzenplage gewütet habe. Ja, sie vergleicht das Ausmaß der Plage mit den

Heuschreckenschwärmen des Alten Testaments. Die Feldberger Bürger wußten sich keinen Rat mehr, die Katzen fraßen ihnen die Jute buchstäblich vom Leib, und in den Gassen habe man keinen Fuß mehr vor den andern setzen können, ohne daß nicht ein wüstes Fauchen und Miauen entstanden wäre. Der pfiffige Stadtverweser Jörg Bertschler habe den Vorschlag gemacht, man solle einen babylonisch hohen Turm erbauen und von dessen Zinnen die in Körben zusammengefaßten Katzen in die Tiefe hauen. Bertschlers Rat wurde tatsächlich befolgt, und bald war man der Plage ledig, weshalb der Turm bis auf den heutigen Tag der Katzenturm genannt wird.

Zur Zeit des Elias hielten die Feldberger im Katzenturm zwölf französische Soldaten gefangen. Nun wäre daran nichts sonderlich, wenn die Stadtväter jene zwölf armen Teufel nach dem Abzug der Truppen nicht im Turm vergessen hätten. Noch heute zahlt Feldberg jährlich einen symbolischen Groschen an die Stadt Arras, woher acht der elend Verhungerten stammten.

Gar manche Sonderlichkeit gäbe es von diesem Städtchen zu berichten, aber wir sehen die Freunde eben Gollers Rosengärtchen betreten. Darum fügen wir uns wieder unsichtbar in die Szene und beschreiben, was war.

Gollers Nachtgebete waren nicht erhört worden. Nun war der unheimliche Musikant doch gekommen, zum verabredeten Ort, zur verabredeten Zeit. Wortlos, bleich und ausgezehrt stand er in der Tür. Der Gedanke zu flüchten kam Goller zu spät. Er hätte zur besagten Zeit einfach nicht im Haus anwesend sein müssen. Oh, heilige Cäcilia!, daß ihm der Gedanke erst jetzt aufgehen mußte! Goller schnappte nach Luft, griff in den steifen Kragen und hieß die Freunde im Musiksalönchen Platz nehmen. Seit langer Zeit fingen Elias' Augen wieder an zu leuchten, als er die Tastatur eines kuriosen Instruments erblickte, welches Goller Pianoforte nannte. Elias griff in die Tasten, erschrak und erstaunte gleichzeitig. Als er einen gespenstisch schnellen Terzenlauf durchfingerte, taumelte Goller zu ihm hin und stotterte laut, der Herr Alder solle sich jetzt schonen, denn in einer Stunde begänne das Orgelfest. Nein, dachte das Karpfenmaul, im eigenen Hause müsse er sich diesen Teufel nun wirklich nicht anhören. Wie könne er sich jemals wieder ungetrübt ans Pianoforte setzen?

Peter trank viel von dem aufgetischten Rotwein. Elias indessen blickte unverwandt auf die ungezählten Musikalien, welche offen und geschlossen auf Ottomanen, Fenstersimsen und Parkettboden ausgebreitet lagen wie ein vielgängiges, herrliches Nachtmahl. «Welche Weisheit muß in diesen Büchern liegen», dachte Elias traurig, und er aß keinen Bissen, nahm keinen Schlucken Wein. Dann brach man auf, schlenderte durch enge Gassen nach der Richtung des Feldberger Domes. Hin und wieder scherzte Goller etwas bemüht und wunderte sich darüber, daß Elias barfüßig gekommen war. Niemand könne barfüßig das Orgelpedal treten, sagte er sich still, niemand. Und die Feldberger Orgel sei in Cäciliens Namen um vieles schwerer zu handhaben als das läppische Werklein in Eschberg.

Und über Gollers Karpfenmaul huschte plötzlich ein erlöstes Lächeln.

Das Orgelfest

DAS Feldberger Orgelfest war das Musikereignis des Jahres überhaupt. Sogar aus dem Liechtensteinischen pilgerten die musikliebenden Herrschaften und Nobilitäten, um die Improvisationskunst der Eleven des Musicalischen Institutes hören zu können. Die große, siebzehnstimmige Hauptorgel mit ihrem mächtigen Trompeten- und Posaunenchor und dem silbrigen Prinzipalklang des Brustpositivs war eines der kostbarsten Instrumente im damaligen Vorarlberg, und sie bildete eine wunderbare Synthese zwischen französischer und süddeutscher Orgelbaukunst. Man hatte das Instrument eigens für das Fest stimmen lassen und es kunstvoll von allen Seiten illuminiert.

Goller hieß den Peter, sich einen Platz im Kirchenschiff suchen, denn der Dom war bereits eine halbe Stunde vor Beginn des Festes zum Bersten voll. Leuchtendes, blaurotes Abendlicht warf steile Bahnen auf die Schar der Gäste, und die Rosette hoch über der Westempore erglänzte in märchenhafter Buntheit. Den Elias aber führte Goller in die Sakristei, darinnen sich die fünf Studenten aufhielten, welche man zum Improvisieren vorgelassen hatte. Mit den etwas abschätzigen Worten, der Herr Alder komme aus einem gottverlassenen Flecken des Landes, sei von einfacher Lebensart, jedoch ein überaus kurioses Naturgenie, führte er den Elias in die Runde der Musikanten ein. Da stand er nun, unser Held, im schwarzen, verschwitzten Gehrock, barfüßig mit dreckigen Fuß- und Fingernägeln, fettigen Haarsträhnen und von üblem Geruch. Die fünf rosenroten Gesichter mit ihren glatt gescheitelten Frisuren und den blitzenden Stehkrägen, hoben die Nasen äußerst befremdet von dieser sonderlichen Erscheinung ab. Ein Student wagte gar die freche Bemerkung, es sei ihm unmöglich, mit diesem Primitiven in einer Bank zu sitzen. Nun, das Naserümpfen und die frechen Bemerkungen sind den rosenroten Gesichtern alsbald vergangen.

Alles erhob sich im Kirchenschiff, als der Generalvikar, gefolgt vom Domorganisten Goller, den vier Professoren des Musicalischen Institutes und den sechs Orgeleleven, aus der Sakristei schritt. Der Generalvikar stieg zum Ambo, an welchem eine vergoldete Lira hing, tat einen lateinisch gesprochenen Vorspruch und las hernach mit feierlicher Stimme die Worte des 150. Psalms, worin man Gott mit Posaunen, Psaltern und Harfen loben müsse. Dann begrüßte er in langatmiger Rede die Professoren, Doktoren, Räte und Herrschaften, jeden mit Namen und jedem ein schmeichelndes Wort der Verehrung zollend. Endlich bat der Generalvikar um die berüchtigte Schatulle, denn der Wettbewerb wurde nach strengem Regelwerk abgehalten. Ein schmalbrüstiger Ministrant reichte ihm das Kästchen, der Generalvikar langte hinein und zog den Namen des ersten Candidaten. Er hieß Peter Paul Battlog, war fünfzehnjährig und der Sohn des Steueramtsoffizials Christian Battlog. Dann zog der Generalvikar einen zweiten Namen, einen dritten und so fort. Der Name Elias Alder wurde als vorletzter Name gezogen.

Das war die Reihenfolge, nach welcher die Organisten anzutreten hatten. Nun ließ sich der Generalvikar vom schmalbrüstigen Ministranten ein Choralbuch bringen. Der Ministrant brachte das schwere Buch und legte es geschlossen auf den Ambo. Die Spannung wuchs, denn mit dem Buch hatte es ein Besonderes.

Der Generalvikar, ein Mann mit theatralem Gespür, kostete die Stille bis zur Unerträglichkeit aus. Dann nahm er das Choralbuch, stellte es auf den Rücken, legte die beiden Daumen auf den Goldschnitt der Stirnseite, ließ die schweren Lederdeckel los, und das Buch klappte auf. Die jeweils rechte Seite des so willkürlich aufgeschlagenen Buches war maßgebend.

«Candidatus Battlog», sprach der Generalvikar mit voller Stimme, «hat über das Lied ‹Ach Gott, wie manches Herzeleid› zu extemporieren. Als da sind: eine Choralbearbeitung pedal- und manualiter in Eins, ein Präludium und eine dreistimmige Fuga nach alter Setzweise.»

Elias, der verlassen am Ende der Chorbank saß, begriff kein Wort von dem Gesagten. Er sah, wie Battlog in die Höhe schnellte, aus der Chorbank ging, eine Kniebeuge tat und in Richtung Orgelempore eilte. Elias bekam es mit der Angst. Er nahm die Sakristeitür ins Visier. Nötigenfalls würde er durch selbige ins Freie flüchten.

Nach einigen Minuten der Bedenkzeit fing Battlog an zu improvisieren. Die beiden starken Kerle an den Blasebälgen packten die Balken und trieben die Bälge in die Höh'. Erst intonierte Battlog die Melodie des Chorals, das war Pflicht, dann setzte er zur Choralbearbeitung an. Nun, das rosenrote Gesicht musizierte nicht gerade begnadet, das hörte Elias sogleich. Aber die sagenhafte Klangpracht dieser Orgel bestrickte ihn derart, daß er fast Atemenge bekam. Wir dürfen sagen, daß Elias Alder mehr Konzentration auf das Spiel seiner Konkurrenten verwandt hat, als später auf sein eigenes Spiel. Als Battlog mit übertriebenem Getön die dreistimmige Fuge geendigt hatte, wußte Elias exakt, was mit Choralbearbeitung, Präludium und Fuga gemeint war. Ähnliches hatte er ja in Eschberg auch gespielt, aber ganz anders, kunstvoller und vor allem ehrenhafter, dünkte ihn bescheiden. Von den nächsten Candidaten konnte er nicht sonderlich Neues in Erfahrung bringen, wenngleich ihm ihre Registrierkunst einen stets gewaltigen Eindruck hinterlassen hatte. Vermöge seines ungemein analytischen Gehörs war es ihm ein leichtes gewesen, die Harmonien des Satzes in jede Note zu zerlegen – besser wäre es, zu sagen: in jede einzelne Taste, weiß oder schwarz, hoch-, tief- oder mittelliegend. Ja mitunter besserte er heimlich im Kopf das eine oder das andere aus, wie er es schon zu des Onkels Lebzeiten getan hatte.

Dann erging die Reihe an ihn. Der Generalvikar setzte das Buch auf, legte die Daumen auf die Stirnseite, ließ es auseinanderklappen, schwieg eine Zeit und sprach dann mit theatraler Stimme:

«Candidatus Alder hat über das Lied ‹Kömm, o Tod, du Schlafes Bruder› zu extemporieren. Als da sind: eine Choralbearbeitung pedal- und manualiter in Eins, ein Präludium und eine dreistimmige Fuga nach alter Setzweise.»

Elias schnellte in die Höhe, wie es just seine Vorgänger getan hatten, weil er meinte, es gehöre zur Pflicht des Eleven. Er tat auch eine Kniebeuge, ging dann aber nicht in Richtung Orgelempore, sondern zu Friederich Fürchtegott Bruno Goller, der zuvorderst in der Epistelseite saß und aufgeregt am Schnurrbart zwirbelte.

«Ich kenne die Melodie dieses Kirchenliedes nicht», flüsterte ihm Elias aufgewühlt ins Ohr. «Man muß es mir vorspielen, dann erst vermag ich zu extromini … extrompir… extro … ministrieren.»

Goller erhob sich blamiert aus der Bank, tat eine

Kniebeuge und schlich sich zum Generalvikar, der eben auf seinem geschnitzten Chorstuhl Platz genommen hatte. Es entstand eine Unruhe unter den Zuhörern und etliche Weibsbilder tuschelten einander in die Ohren, reckten die Hälse und guckten neugierig nach dem barfüßig dastehenden Mann. Goller besprach sich mit dem Generalvikar, dieser trat zum Ambo und ließ verlauten, das Fest müsse für einige Augenblicke unterbrochen werden. Begründete dies in Gollers abschätzigen Worten, wonach der Candidatus Alder aus einem gottverlassenen Flecken des Landes komme, von einfacher Lebensart sei, die Orgel von Feldberg je weder gesehen noch gespielt habe, sich darum zuvorderst einspielen müsse, in summa jedoch ein überaus kurioses Naturgenie besitze, weshalb man ihn hierher eingeladen habe und weshalb man es verantworten dürfe ... und so weiter und so fort.

Daraufhin verließen einige Herrschaften den Dom, sich die Zeit mit Tabakrauchen zu vertreiben. Andere wiederum – vornehmlich die Gäste aus dem Liechtensteinischen – packten Wurst- und Selleriebrote aus ihren Taschen und stopften die Wegzehrung pietätlos in ihre Mäuler. Die Damen höheren Standes aber schnäbelten gelangweilt an saftig-süßen Erdbeeren.

In der Zwischenzeit war Goller mit Elias die Empore hinaufgestiegen. Dort legte er ihm die Funktion der Register in übertriebener Eile klanglich dar, schlug den zu improvisierenden Choral im Orgelbuch auf und tippte die Melodie im allerleisesten Salicional an. Als es im Dom wiederum still geworden war, brütete Elias noch immer über die Worte dieses Liedes, denn Melodie und Worte hatten ihn vom ersten Moment an gefangengenommen:

KÖMM, O TOD DU SCHLAFES BRUDER,
KÖMM UND FÜHRE MICH NUR FORT;
LÖSE MEINES SCHIFFLEINS RUDER,
BRINGE MICH AN SICHERN PORT!
ES MAG, WER DA WILL, DICH SCHEUEN,
DU KANNST MICH VIEL MEHR ERFREUEN;
DENN DURCH DICH KÖMM ICH HEREIN
ZU DEM SCHÖNSTEN JESULEIN.

Werfen wir, ehe dieser Mensch auf unmenschliche Weise zu musizieren anheben wird, einen kurzen Blick auf Peter, wie er unter dem Gewölbe der Empore, im stickigsten Teil der Kirche sitzt. Er hält die Hände im Schoß verkrampft. Er wagt kaum zu atmen, er blickt nicht nach rechts und nicht nach links. Er ist plötzlich ein Mann von strahlender Schönheit. Oder täuschen uns die flackernden Schatten des Kerzenlichts?

Die beiden Kerle an den Bälgen zogen noch mitleidige Fratzen bezüglich Elias' äußerer Erscheinung, da donnerte ein so gewaltiger Fortissimolauf von der Tiefe der Tastatur in die Höhe, daß sie meinten, die Orgel breche auseinander. Der Lauf riß ab, Elias schöpfte Atem und setzte zu einem noch gewaltigeren Fortissimo an, dieses Mal in Kombination mit einer brüllend hinabstürzenden Pedalbaßlinie. Als er zum dritten Mal Atem geschöpft, ließ er das Figurenwerk abermals aufbrausen, wobei er die Baßlinie auf die Hälfte des vorigen Wertes diminuierte, also mit einer nahezu unmöglichen Fußgeschwindigkeit über das Pedal hinwegfegte. Der Lauf endete in einer schmerzverrissenen Harmonisierung der beiden ersten Takte des Chorals, dann würgte der Organist die Musik derart unmotiviert ab, als seien ihm die Hände plötzlich vom Manual gerutscht. Elias atmete die unerhört spannungsgeladene Zäsur, griff siebenstimmig in die Tasten, spielte den Choral bis zum 3. Takt, riß ab, atmete, harmonisierte in unaufgelösten Dissonanzen bis zum 4. Takt, riß ab, atmete, verband das figurale Kopfmotiv mit der Harmonisierung des Chorals, riß ab, atmete, riß ab, atmete, und das alles über die Dauer von mehr als fünf Minuten.

Dergestalt wollte er darlegen, wie man sich gegen den Tod aufzulehnen habe, gegen das Schicksal, ja gegen Gott. Der Tod als jähes Schweigen, als unerträgliche Pause. Und der gedemütigte Mensch, wie er aufschreit im sinnlosen Gebet. Wie er sich das Hemd wegreißt, wie er sich die Haare rauft, wie er irr zu fluchen anhebt, und wie er doch immer zu Boden geworfen wird. Denn alles Aufbegehren nützt nichts. Gott ist ein böses, nabelloses Kind.

Die Kerle an den Bälgen hatten große Not, die Luft gleichmäßig in den Bälgen zu halten. Von ihren krebsroten Backen rann der Schweiß, und wir glauben, daß es der Angstschweiß war. Ungewöhnliches geschah auch im plötzlich totenstillen Kirchenschiff. Gollers Karpfenmaul stand sperrweit offen, die vier kalkweißen Professoren trauten ihren Ohren nicht, und viele der Anwesenden wandten ihre noch vollen Brotmäuler nach der Empore, stierten auf den erleuchteten Pfeifenprospekt und vergaßen darüber das Schlucken ganz.

Nach diesem irrsinnigen Beginnen, diesen Kaskaden unglaublicher Verzweiflung, schien die Musik zu erlöschen, wenngleich der Zorn hie und da wieder aufflackerte und ein bizarres Feuer aus noch nie gehörten Harmonien entfachte. Elias ließ eine Registerkombination nach der anderen zurückspringen, die Klänge wurden immer weicher, und schließlich versank die

Musik in einem sinistren, lang umspielten und kaum zu identifizierenden Moll. Damit gedachte Elias die vollkommene Resignation der menschlichen Kreatur auszudrücken: Am Boden lag er, vergangen alle Hoffnung, die Erde um ihn erfroren.

Allmählich begriffen die so erschrockenen Zuhörer die Botschaft des Organisten. Nein, der da oben machte nicht bloß Musik, er predigte. Und was er predigte, war von kalter, glasklarer Wahrheit. Für Augenblicke schien es dem Eschberger Bauern gelungen, die Geister dieser mannigfaltigen Menschen in einen einzigen Geist zu verschmelzen. Denn es entstand im Dom eine derart unheimliche Stimmung, als ahnten das Kind und der Greis zu gleicher Zeit: Der Tod ist in diesen Mauern, und der Schlaf, sein Gefährte, wird dich zudecken. In den Gesichtern der Menschen stand plötzlich Wahres zu lesen. Die Masken waren herabgeschmolzen und ein numinos Stilles lag auf jedem Antlitz, und an den Zügen konnte man ergründen, auf welche Weise jeder mit der Stimme des Todes fertigzuwerden suchte. Welch ein Schauspiel der Hilflosigkeit!

Er spielte nun schon länger denn eine halbe Stunde und ein Ende war nicht abzusehen. Aber aus dem breiten, dunklen Chaos regten sich allmählich versöhnlichere Stimmen. Den Melodien folgten andere Melodien, duftig und weich wie das im Frühlingswind wogende Gras. Und diesen Melodien folgten wiederum neue Melodien. Es waren Elsbeths Melodien. Und Elsbeths Melodien folgte die Melodie des Chorals. Der Choral aber war der Tod. So entstand ein Reigen, ein ephemeres Auf und Nieder immer neuer musikalischer Gedanken. Die Musik wechselte in einen ungeraden Takt, fiel zurück und wechselte abermals. An der

Leichtfüßigkeit der immer neu hinzutretenden Stimmen konnte man erahnen, daß Elias nicht mehr von dieser Welt erzählte. Der Mensch war aus dem Chaos aufgestanden, das Gewicht der Erde zerrte ihn nicht länger nieder.

Wiewohl Goller ihm die Register nur flüchtig dargelegt hatte, vermochte sie Elias auf virtuose Weise zu mischen. Wie ein Maler über den unerhörten Reichtum seiner Farbtöne staunt, so staunte Elias über die Möglichkeiten dieser Orgel. Bislang war er verkrampft am Instrument gesessen, die Augen auf Manuale und Pedal geheftet. Nun kam Ruhe in seine Augen: Die Glieder entkrampften sich, der Rücken wurde weich. Die Orgel, dünkte es ihn, ließ sich plötzlich wie von selbst spielen. Er hatte ihre Tücken beherrschen gelernt und durfte sich jetzt frei entfalten. Er tat die Augenlider zu, hob den Kopf und träumte sich nach Eschberg zurück, indessen die Orgel alle heraufdämmernden Bilder mit schwärmerischer Klangpracht über die Köpfe der Zuhörer ausbreitete.

Die Natur wurde Musik. Jene geheimnisvollen Novembertage, wo der Nebel vom Rheintalischen auf und nieder schwappte, in den Weiler Hof, wo seine Heimat war. Wie der Nebel in den Wäldern gefror, eisige Fäden von den Zweigen zog und die Rinde der Tannen mit Rauhreif beschlug. Wie sich Mond und Sonne gegenüberstanden – der Mond, eine zerbrochene Hostie, die Sonne, die Wange der Mutter …

Der Schein des Ersten Feuers wurde Musik. Die Farben der Eschberger Kirchenfenster, wie sie im Ostchor zu leuchten anfingen. Die Leiber der Schreienden, die sich ineinanderpreßten und ineinanderkeilten. Das brennende Anwesen des Nulf Alder. Das Mädchen im rauchverhüllten Gaden, wie es mit wachen

Augen unter dem Bettrost lag, das Mündchen verbissen in der Stoffpuppe. Die Tiere des Waldes im Jännerschnee. Wie er in unhörbaren Lauten, Geräuschen und Trillern nach ihnen rief. Wie keines mehr von ihnen heraufkam aus dem baumstrünkigen Horizont. Das Todeslachen des Roman Lamparter, des Meistenteils …

Die nächtliche Episode wurde Musik, worin er sich einmal ins schwarze Gras noch schwacher Bergbündten gelegt hatte. Wie er Arme und Beine weit gespreizt hielt, die Finger ins Gras gekrampft, als müßte er sich festhalten an dieser großen, runden, schönen Welt. Und er erinnerte sich der Worte, die er in jener Nacht gesungen: «Wer liebt, schläft nicht! Wer liebt, schläft nicht!» …

Und Elsbeth wurde Musik. Elsbeth! Die Farbe und der Geruch ihres laubgelben Haares, der kaum merkliche Gehfehler, das Lachen ihrer dunklen Stimme, die runden, so lebendigen Augen, das Knollennäschen, das blaue Kleid mit dem großen Karomuster. Wie Elsbeth behutsam durchs Gras schritt, auf daß sie kein Gänseblümchen zertrete. Wie sie mit kleinen Händen die Schnorre einer Kuh streichelte, Zwiesprache mit ihr hielt, heimlich den Säuen Apfelrinde zuwarf …

Während er diese Gedanken in die anrührendste Musik setzte, die jemals gehört worden war, vernahm er auf einmal Elsbeths Herzschlagen wieder. Und er wurde unruhig, der Rhythmus könnte verlorengehen. Aber der Rhythmus blieb und verschmolz mit dem seines eigenen Herzens. Und es geschah, daß Elias wieder liebte.

Nachdem er alles gesagt hatte, was es von seinem Leben zu erzählen galt, ließ er die Musik in einem sanft klingenden Septakkord verhallen. Nun wollte er zur Fuga ansetzen, zur Apotheose des Himmels, zum Traum von einer liebenden Welt.

Er hatte die Menschen unter Hypnose gebracht. Sie saßen reglos in den Bänken, ihre Augenlider bewegten sich nicht mehr. Ihr Atmen hatte sich verlangsamt, und die Frequenz ihrer Herzschläge war die Frequenz seines Herzschlagens geworden. Im nachhinein wußte niemand zu sagen, wie lange Elias Alder wirklich gespielt hatte. Sogar Peter wußte es nicht. Auch seine Lider bewegten sich nicht mehr, und hinter der gemeinen Stirn war Frieden.

Das Zustandekommen dieser seltsamen Hypnose läßt sich nur mit dem Wesen von Elias' Musik erklären. Wohl gab es Meister, welche vor ihm die seelischen Gefühlszustände auf genuine Weise musikalisch auszubreiten imstande gewesen waren. Doch blieb es immer beim Anrühren solcher Emotionen, und der Musikliebende selbst steigerte sich dann willentlich in Emphase und tue es heute noch.

Nun gibt es aber in der Sprache der Musik ein Phänomen, das bislang noch wenig erforscht worden ist. In der unerschöpflichen Kombination von Akkorden herrschen nämlich Konstellationen, deren Erklingen im Hörer etwas entfesselt, was im Grunde nichts mehr mit Musik zu schaffen hat. Einige dieser Akkordverbindungen und -sequenzen hatte Elias ja schon in seiner Jugendzeit entdeckt, und er hatte die Wirkung dieser Sequenzen oft an sich und anderen erproben können. Denken wir an jenen Ostermorgen, wo es ihm gelungen war, den Charakter der Eschberger Bauern für Augenblicke mit Großmut zu füllen, welcher sich darin zeigte, daß sie einander in Höflichkeiten zu übertreffen suchten. Wenn er also musizierte, vermochte er den Menschen bis auf das Innerste seiner

Seele zu erschüttern. Er brauchte nur die gefundenen Harmonien in größere, musikorganische Zusammenhänge zu stellen, und der Zuhörer konnte sich der Wirkung nicht mehr entziehen. Ohne seinen Willen traten ihm dann die Tränen aus den Augen. Ohne seinen Willen durchlitt er Todesangst, Kindesfreuden, ja bisweilen gar erotische Empfindungen. Solches in der Musik geleistet zu haben, war das Verdienst des Johannes Elias Alder. Zwar stammte seine Musik aus dem Schatz der klassischen Harmoniefindung, hatte er doch nie etwas anderes gehört, als die dickgriffigen Choräle seines Onkels. Im Laufe der Jahre aber und bedingt durch die fortschreitende Zerrüttung der Seele, fand er zu einer so gewaltigen Tonsprache, wie kein Meister vor oder nach ihm. Und es ist eine der bedauerlichsten Fatalitäten der abendländischen Musikgeschichte, daß dieser Mensch seine Kompositionen niemals aufgezeichnet hat.

Als er das Fugenthema mit vollem Prinzipalchor vorgestellt hatte, schrie der dritte der vier kalkweißen Professoren plötzlich laut auf. «Das ist unmöglich!! Das ist nicht möglich!!» schrie er und konnte nur mit brutaler Kraft wieder in die Sitzbank gezwungen werden. Denn das Fugenthema war von einer so gigantischen Erfindungskunst und Länge, daß man glauben mußte, auf der Empore gehe es mit übernatürlichen Dingen zu. Das Thema bestand aus den Grundtönen des zu improvisierenden Chorals, hatte aber eine so filigran-träumerische Gestimmtheit, daß ein jüngeres Weib auf der Evangelienseite zu Recht ausrief: «Ich sehe den Himmel!» Und das Thema wollte nicht mehr enden, schwang von der einen Sequenz zur anderen, immer höher und immer duftiger, bis es schließlich in die Dominante pendelte, auf welcher die zweite

Stimme dasselbe Spiel von vorne beginnen durfte.

Was er an Fugentechnik von seinen Vorspielern abgelauscht, das stellte er jetzt mit Leichtigkeit in die eigene Konzeption. Er hatte gelernt, daß das Thema in zyklischer Weise wiederauftaucht, und zwar in einem ganz bestimmten Tastenzahlverhältnis zum vorangegangenen Einsatz. Dem ministrantischen Ernst seiner Vorgänger hielt er ausgelassenes Figurenwerk entgegen. Eine Apotheose des Himmels wollte er malen und eine Engelsleiter, welche unablässig höher in den Zustand des Paradiesischen führte, wo das irdische Licht schwächer und der Glanz der Vollendung immer breiter und leuchtender wurde. Die Fuga des Elias Alder glich einem riesigen, sich schnell dahinwälzenden Wasser, das stetig größer und voller wurde und schließlich in der Ewigkeit des Meeres endete.

Goller, der sich um keinen Preis in Trance hatte verbringen lassen, wenngleich er sich immer wieder in den Unterarm kneifen mußte, zählte nun schon die achte Themendurchführung in einem kontrapunktischen Strickwerk von insgesamt sieben sich frei bewegenden Stimmen. Und Goller verfluchte seinen alten Lehrmeister, den hochberühmten Cantor Rheinberger, der ihn einst gelehrt hatte, daß eine Fuga nicht mehr als fünf Stimmen ausweisen dürfe, ansonsten sie ein zu akkordisches Gefälle erhalte, die einzelnen Linien nicht mehr transparent erschienen. «Welch ein Schwachkopf seid Ihr gewesen, Meister Rheinberger!» grollte er in sich hinein und riß sich ein Haar aus dem Zwirbelschnurrbart heraus.

Als die Musik eine nicht mehr zu fassende Kompliziertheit erreichte, sie sich überdies ins stärkste Fortissimo gewälzt hatte, schien das Ende der Fuga nahe. Allein, Elias konnte nicht endigen. Weil aber ein überlautes Fortissimo mit der Zeit seine monumentale Wirkung verliert, suchte er die Empfindung der strahlenden Lautheit dadurch zu vermehren, indem er den Satz in immer höhere Tonlagen führte, Akkordverbindungen ersann, die selbst leise gespielt wie ein unerklärliches Forte klingen. Am Punkt der äußersten Unmöglichkeit riß er das ganze Geflecht auseinander, wie er es zu Beginn seines Spiels getan hatte, und davon entstand eine schockwirkende Zäsur, gleich einem riesigen Loch, in dessen bodenlose Schwärze alles hinabstürzen muß.

Der Hall des abgerissenen Akkordes war noch nicht verklungen, da erstrahlte der volle Choral ‹Kömm, o Tod, du Schlafes Bruder›. Und weil Elias mit seinen Füßen und Fingern nicht mehr in der Lage war, die achte Stimme einzuflechten, hob er selbst zu singen an. Und mit geschwollener Brust imitierte er eine acht Fuß hohe Orgelpfeife, wob die Melodie in langen Notenwerten in das Stimmengeflecht, während die beiden Füße den Choral kanonisch und in verkürzten Notenwerten ausführten, die beiden Hände jedoch das Fugenthema mit unsäglicher Kunst engführten und gleichzeitig auch noch umkehrten.

DENN DURCH DICH KÖMM ICH HEREIN
ZU DEM SCHÖNSTEN JESULEIN.

Und Johannes Elias Alder jubilierte, und Jubel war das gleißende, nicht mehr enden wollende Dur, welches diese unbegreifliche, ja irrsinnige Improvisation abschloß.

Dann war Stille. Nur das heftige Schnauben der beiden Kerle an den Blasebälgen war noch deutlich zu hören, denn Elias hatte sie bis an den Rand der Erschöpfung getrieben.

«So viel Luft wie dieser», zeterte einer von ihnen im nachhinein, «verbraucht Gollern ein ganzes Jahr nicht!»

Auch Elias saß reglos auf dem Orgelbock. Dann wischte er sich mit dem Hemdsärmel den Schweiß vom Gesicht, strich das dünne Haar zurück und blickte auf und hinaus in die Apside, wo über dem Lettner die schwere Beweinungsgruppe trauerte. Jetzt erst konnte man sehen, wie sehr dieses mehr als zweistündige Improvisieren an seiner körperlichen Substanz gezehrt hatte. Sein ohnehin karges Gesicht war grau wie Asche geworden, die Wangen eingefallen, die Backenknochen standen heraus und die Lippen waren ihm vertrocknet. Er hatte an Körpergewicht verloren.

Da zerriß der Ruf einer Männerstimme die gespenstische Stille im Dom: «Vivat Alder!!» schrie die Stimme und hernach noch einmal «Vivat Alder, Vivat!!»

Der Ruf plärrte aus dem hinteren Drittel des Kirchenraums, etwa aus jener Richtung, in welcher Peter saß. Jedenfalls wirkte der Aufschrei derart befreiend, daß plötzlich ein regelrechter Tumult entstand. Die Menschen brachen aus ihrer Ohnmacht heraus, fingen an zu brüllen, zu triumphieren und zu akklamieren. Reihenweise erhoben sie sich, wandten die Köpfe zur Empore und jubelten hinauf zu dem unsichtbaren Wundersmann. Hüte wurden in die Luft geworfen, Körbe, Halstücher, und wir meinen gar ein Bündel Windeln in die Höhe fahren gesehn zu haben.

«Vivat Alder!! Vivat Alder!!» frohlockte die Zuhörerschar jetzt aus erwachten Kehlen.

Der Generalvikar schoß aus seinem geschnitzten Chorstuhl, stolperte ohrenbetäubt zum Ambo, hob die Arme über das jubelnde Volk und suchte es zur Ruhe zu zwingen.

«Hochlöbliches Publikum», rief er ungehört, «in Gottes Namen! Dies ist ein heiliger Ort!»

Es entstand ein nur noch größerer Tumult, und jedermann – mit Ausnahme der Sippschaft des Peter Paul Battlog – fuhr aus der Kirchenbank, weil er vor Begeisterung nicht mehr ruhig halten konnte. Der Generalvikar gab verzweifelte Order, alle Portale des Domes aufzureißen für den Fall, daß eine Trampelei entstünde, doch wollte keiner den Dom verlassen, ehe er den Wundersmann nicht mit eigenen Augen gesehen hätte.

«Vivat Alder!! Vivat, Vivat!!» skandierte jetzt die Menge und hatte sich vollends der Orgelempore zugewandt.

Dann endlich trat der Organist an die Brüstung, und das Licht, welches die Brüstung von unten her illuminierte, ließ sein Gesicht noch gespenstischer erscheinen. Ein «Ah!» und «Oh!» durchsetzte das Geschrei, und man hörte ein Kinds- und Weibergeflenne. Bald aber brach der Jubel von neuem aus, und das Antlitz der Menschen strahlte im gleißenden Dur, mit welchem Elias geendigt hatte. Er selbst hielt sich am Gesimse der Brüstung fest, und niemand bemerkte, daß er vor Glück und Erschöpfung weinte. Oder weinte er über den unglaublichen Entschluß, den er beim Orgelspiel gefaßt hatte?

Er stieg hinunter zur Menge, und sie stellte ihm ein fürstliches Spalier. Eine Dame höheren Standes schob ihm eine Handvoll Erdbeeren in den Brustschlitz seines verschwitzten Flachshemdes, in die Rocktaschen klirrten ihm Münzen, Geldscheine wurden ihm zugesteckt. Als er sich gleich seinen Vorgängern artig vor dem Gremium der vier kalkweißen Professoren verneigt hatte, kam der Tumult allmählich zum Erliegen.

Der Generalvikar wollte eben das Chorbuch wieder auf den Rücken stellen und die Zeremonie für den letzten Eleven vorbereiten, da schrien die Zuhörer wie aus einem Mund:

«Der da ist Sieger!!! Die Lira für Alder!!!»

Und sie skandierten den Namen unseres Musikanten so lange, bis der Generalvikar mutlos vom Ambo abtrat und sich mit Goller und den Professoren zur Beratung in die Sakristei zurückzog. Nun, die Beratung währte nicht lange Zeit. Obwohl Goller versucht hatte, die Herren davon zu überzeugen, daß dieser Alder viel zu lange extemporiert habe, das Gespielte weder eine Choralbearbeitung noch ein Präludium und in Cäciliens Namen schon gar keine Fuga nach alter Setzweise gewesen sei, der Organist im Grunde eine riesige Symphonie ohne klare Abgrenzung der einzelnen Disziplinen veranstaltet habe ..., obwohl Goller mit Vehemenz auf die Abartigkeit der Musik im gesamten hinwies, nützte es ihm nichts: Abgöttische Begeisterung leuchtete in den Augen der vier kalkweißen Professoren.

So wurde das Feldberger Orgelfest vor der Zeit beendet. Der Generalvikar drückte dem ganz und gar geistesfernen Elias Alder die goldene Lira aufs speckige Haar und lobte den Musikanten als ein respektables Naturgenie. Das Publikum schrie und akklamierte, der Generalvikar ermahnte zu Besonnenheit und gab schließlich der Menge geduldverloren den lateinischen Segen. Dann verlief sich alles.

Goller lief auch davon, und zwar derart pressiert, daß keine Zeit mehr war, den Eschberger Burschen eine Herberge anzusagen, wo sie um günstiges Geld nächtigen könnten. Goller hoffte, die so Alleingelassenen würden noch in derselbigen Nacht den Heimweg antreten. Sein Wunsch erfüllte sich.

Das wunderhafte Auftreten des Elias Alder wurde tagelang zum Feldberger Stadtgespräch. In den kühlen Sälen des Musicalischen Institutes erhitzten sich die Gemüter, und der Unterricht kam anfänglich überhaupt zum Erliegen. Immer wieder wurde die Rede auf den genialischen Bauernsohn gebracht. In jenen Tagen litt Goller an schmerzhaftem Ohrensausen, weshalb der Unterricht in dem Fache Improvisation für die Dauer einer Woche ausfiel. In Werdenberg, einem liechtensteinischen Dörfchen, verlautbarten drei junge Hitzköpfe die Gründung eines «Elias-Alder-Vereins», welcher es sich zur Aufgabe machen wollte, dem Musikanten ein ehernes Standbild zu schaffen.

Aber das Wesen des Menschen ist unbeständig, und leicht vergißt er, was er sich nächtens mit geballter Faust geschworen. Die Zeit tat das ihre, bald waren die letzten, fern schimmernden Klänge des englischen Orgelkonzerts verklungen, und die Errichtung des ehernen Standbildes kam nie zustande.

Es gilt noch hinzuzufügen, daß die Stelle des zweiten Organisten schließlich an den Peter Paul Battlog vergeben wurde. Goller hatte nämlich auf die Geister der Professoren mit Erfolg eingewirkt und gesagt, daß ein Organist, der des Notenlesens unkundig, nie und nimmer die gebräuchliche Kirchenliteratur spielen könne. Überdies käme die Bestallung der Dompfründe teuer zu stehen. Man müsse dem Bauern ja eine standesgemäße Wohnung schaffen, und stolz, wie ein Bauer nun einmal sei, würde er gewiß das Doppelte, wenn nicht das Dreifache der üblichen Besoldung fordern.

Ein Mann aber, ein einziger, ließ die Sache nicht auf sich beruhen. Es war einer aus der Reihe der vier kalkweißen Professoren, und zwar jener, der am Beginn der Fuga die Worte «Das ist unmöglich!! Das ist nicht möglich!!» ausgerufen hatte. Etwa vierzig Tage nach dem Verschwinden des Elias Alder erhielt die Seffin ein Brieflein, in welchem – nebst einem großen Geldschein – eine Notiz zu lesen stand, derzufolge der Herr Musicus Elias Alder unverzüglich beim Domvikariat vorstellig zu werden habe. Ein angesehener Bürger hab ihm nämlich eine erkleckliche Summe ausgesetzt, mit welcher er getrost das Studium der Freien Künste werde antreten können …

Der angesehene Bürger war natürlich der Schreiber des Briefes selbst. Aber der Brief kam zu spät. Zu dieser Zeit war Elias Alder schon tot. Das wußte nicht einmal die Seffin, denn sie wähnte ihren Sohn noch immer in Feldberg. Niemand wußte es, außer Peter.

Als die Freunde den Heimweg antraten, war Peter nicht mehr zu erkennen. Er umarmte den apathisch vor sich hingehenden Elias immer aufs neue, juchzte auf, tanzte ein paar Schritte nach vorn, stellte sich mit ausgestreckten Armen in den Weg, schloß Elias in seine Arme, küßte ihm die Stirn und wollte nicht aufhören zu lärmen und zu reden. Was er da geleistet habe, überschlug sich Peter erregt, das sei diesen Städtern bestimmt noch nie untergekommen. Er, Johannes Elias Alder, sei der Herr dieser Nacht, sprach Peter gerührt und verbeugte sich vor seinem Freund. Und welch' gloriose Zukunft ihm jetzt blühe, prasselte es ihm aus dem Mund. Mit der Orgelei könne er ein Vermögen machen, und er zog Elias das dunkle Papier und die Münzen aus den Taschen, ließ das Geld in den Händen scheppern. Er selbst wolle den Hof verkaufen, wolle mit ihm nach Feldberg ziehen. Von Feldberg ausgehend würden sie hernach große Reisen unternehmen, in vornehmen, damastgefütterten Equipagen. Würden durch das Land ziehen, ja wer weiß, vielleicht bis gen Innsbruck. Und im Laufe der Zeit würde sich Elias zu unermeßlichem Reichtum emporgeorgelt haben …

Peter konnte nicht ruhig werden, und er merkte mit keinem Deut, daß seinem Freund der Sinn nach ganz anderen Dingen stand. Nicht einmal die versöhnliche Frische der Nacht vermochte das Herz des Schwärmers abzukühlen. Wie nun Elias aber auf keine Frage Antwort gab, da wurde endlich auch Peter still. Und sie wanderten drei Stunden, ohne auch nur ein einziges Wort miteinander getauscht zu haben.

Im Morgengrauen erreichten sie Götzberg und als Peter die Weggabelung nach Eschberg einschlagen wollte, öffnete Elias plötzlich seine Lippen. Er wolle im Bachbett der Emmer nach Eschberg schreiten, sagte er dünn. Das sei ein alter, schmerzensreicher Weg. Viele Eschberger seien ihn gegangen, als das Feuer ihr Leben vernichtet hatte. Peter begriff den seltsamen Wunsch nicht und wand ein, daß er von den Strapazen des Tages und der Nacht müde sei. Aber Elias blieb hartnäckig und sagte mit geheimnisvollem Ton, daß ihnen noch um etliches größere Strapazen bevorstünden. So stiegen sie umständlich nach Eschberg hinauf, umwanderten die Wasserfälle in großen Umwegen, gelangten schließlich heim, genauer gesagt: zum wasserverschliffenen Stein.

Dort ließ sich Elias wortlos nieder, verschränkte die Arme und sprach mit ruhiger Stimme: «Mein Freund. Ich habe dich, als du das Dorf angesteckt, nicht verraten. Also schwöre mir jetzt, daß auch du mich nicht verraten wirst. Schwöre, daß alles, was nun und in der Folgezeit geschieht, in deinem Herzen verschlossen bleibt bis zum Jüngsten Gericht!»

Peter sah den Sitzenden mit müden, aber ratlosen Augen an. Dennoch hob er die Finger und schwor ewiges Stillschweigen. Elias gebot ihm, auf den Hof zurückzukehren, sich dort lange und sehr gewissenhaft auszuschlafen. Dann müsse er im Dorf verbreiten, daß man ihn in Feldberg behalten habe und daß er so bald nicht nach Eschberg zurückkehren könne. Gegen Abend müsse Peter wiederkommen, mit Hanfseilen und einem Mundvorrat für die Dauer einer Woche. Niemand, sagte Elias fast drohend, niemand dürfe wissen, daß er heimgekehrt sei.

«Und wenn Elsbeth nach dir fragt?» sprach Peter warm. Elias schwieg und sah ihn mit derart leeren Augen an, daß sich Peters Unterarme mit Gänsehaut überzogen.

Peter machte sich auf und tat, was ihm Elias aufgetragen hatte.

Kömm, o Tod, du Schlafes Bruder

PETER hatte sich gerade zur Ruhe gelegt, als er die Holzpantoffeln des Lukas Alder die Stiege heraufstampfen hörte. Während seiner Abwesenheit hatte Lukas nämlich für das Vieh gesorgt, hatte es gemolken und hernach wieder auf die Bündt hinausgetrieben. Peter erhob sich vom Laubsack, ging Lukas entgegen und berichtete ihm, was sich in Feldberg zugetragen hatte. Und er fügte stets aufs neue hinzu, daß die Herren Professoren den Elias für etliche Zeit bei sich behalten wollten, zwecks Untersuchung seines zuhöchst kuriosen Naturgenies. Lukas schwieg einfältig zu der Erzählung Peters, fragte nur, ob er ihm die Kühe melken solle, denn er habe den Eindruck, daß Peter noch sehr übernächtigt wirke. Peter aber zog fünf Heller aus der Tasche, streckte ihm den verkrüppelten Arm entgegen und hieß ihn heimgehen. Am Vormittag schritt Peter hinüber zur Seffin und log auch ihr dieselbe Geschichte vor. Zufällig kreuzte das Lampartersche Plappermaul seinen Weg, und so durfte Peter sicher sein, daß jedermann den Grund für des Elias Fernbleiben bald erführe. Tatsächlich machte das Plappermaul kehrt, stiefelte stracks zur Dorfschule hinauf und beurlaubte eigenmächtig die dort versammelt wartenden Kinder.

Schlafen konnte Peter nicht, obwohl er sich zu Mittag abermals auf seine Bettstatt gestreckt hatte. Die Schwüle tat das ihre, und so schickte er sich an, die Hanfseile und den Mundvorrat zusammenzupacken. Am Nachmittag legte er sich noch einmal zur Ruhe, dieses Mal im Gemäuer seines Kellers. Dort schlief er dann unruhig und sich von einer Seite auf die andere wälzend. Er hatte Alpdrücke.

Als die Sonne hinter den rheintalischen Bergen vergangen war, schulterte er seinen Rucksack, wanderte auf einem Umweg hinab zum Bachbett der Emmer, nicht ahnend, daß er nun Zeuge eines unerhört langen und qualvollen Selbstmords werden würde.

Elias saß an dem Ort, an welchem alles begonnen hatte und an welchem nun alles enden sollte. Er hatte sich das schulterlange Haupthaar abgewetzt – die laubdünne Schieferplatte lag neben ihm. Er hatte das Haarbüschel im Mund, und Peter begriff nicht, was er dadurch anzeigen wollte. Elias stierte unverwandt in das lebendige Wasser der Emmer. Er war wach geblieben, hatte nicht einen Augenblick lang geruht. Peter trat zu ihm hin, küßte ihm die Stirn und nahm den glutheißen Kopf in seine Hände. Er sah, daß Elias verrückt geworden war.

«Elias», flüsterte Peter, «warum bringst du dir solche Schmerzen bei? Du bist ein berühmter Mann geworden.» Und er fügte etwas listig hinzu, daß er im Feldberger Dom eine Handvoll schöner junger Weiber gesehen habe, welche den Organisten mit verliebten Augen betrachtet hätten. So wollte er ihm Hoffnung zusprechen. Aber der Gedanke, Elias möchte ein Weib nehmen, möchte ihn verlassen, schmerzte ihn zu sehr und darum ließ er den Gedanken sein.

Elias nahm das Haarbüschel aus dem Mund. «Hast du dich gewissenhaft ausgeschlafen?» frug er mit hohlen Augen.

«Ich konnte nicht schlafen», sagte Peter, «ich hatte ein schreckliches Traumgesicht», und ließ den Kopf des Freundes los.

«Laß uns gehen, ehe es dunkel wird, Stechäpfel, Narrenschwämme und Tollkirschen sammeln!» sagte Elias. «Ich werde diese Dinge brauchen, wenn die Müdigkeit kömmt.»

Peter wußte um die berauschende Wirkung dieser Substanzen, begriff aber noch immer nicht, was Elias wirklich im Sinn hatte. «Willst du hier sitzen und warten bis zum Jüngsten Tag?» frug er mit einem gekünstelten Lächeln, und Elias bejahte die Frage ernst. «Du brauchst Schlaf», sagte Peter ärgerlich, «dein Kopf ist fiebrig. Sei gescheit und laß uns endlich heimgehen!»

Bei diesen Worten erhob sich Elias vom Stein, streckte die Glieder und sprang plötzlich ins kalte Gebirgswasser der Emmer. Er tauchte ganz unter, tauchte wieder auf, schüttelte die Glieder und rührte Kopf und Arme in wilden Kreisen. «Wie gut ein kaltes Wasser ist!» schrie er zu Peter hinauf. «Erschöpft taucht der Mensch hinein, und wie von selbst weicht der Schlaf aus seinen Gliedern!»

Als er sich aus dem Tümpel emporgearbeitet hatte, bemerkte Peter, daß ihm die Abstimmung der Bewegungen schon erhebliche Mühe bereitete. Es erstaunte ihn nicht. Einen Tag, eine Nacht und wieder einen Tag hatte der Freund nicht mehr geschlafen. Es würde noch um vieles gespenstischer kommen.

Nachdem sich Elias mit Brot, verdorrtem Grießmus und rohen Eiern gestärkt hatte, machten sie sich auf die Suche nach den Blättern des Stechapfels, den Tollkirschen und Narrenpilzen. Dabei wären sie um Haaresbreite gesehen worden, denn ein Lamparter trieb mit seiner Schwester Unzucht im Wald. Der Hilfeschrei des Weibes hatte sie aber frühzeitig gewarnt. Bei Einbruch der Nacht kamen sie zum wasserverschliffenen Stein zurück. Sie hatten gefunden, was Elias brauchte. Auf dieser Wanderung hatte Elias dem Peter die Art seines nunmehrigen Denkens eröffnet, und dieses Denken spiegelte auf lächerlich verzerrte Weise die Irrigkeit seines Geistes.

Ob er sich an den Rotschopf, den Schauprediger, noch entsinnen könne, fragte Elias. Gewiß könne er das, sagte Peter. Und ob er die Worte in Erinnerung habe, die jener geschrien, als er ohnmächtig niedergebrochen war? Peter schwieg. Da wurde Elias wacher und seine Bewegungen füllten sich mit Nervosität. Ihm sei nämlich während des Orgelspiels in Feldberg aufgegangen, daß er Elsbeth nur mit halbem Herzen geliebt habe. Darum habe ihm Gott Elsbeth verweigert, denn die Zuneigung sei nur lau und halb gewesen. Eine Aufhäufung von Lügen und Halbherzigkeiten, sei sein sogenanntes Lieben gewesen.

Wie, bebte es aus seinem Mund, könne ein Mann reinen Herzens behaupten, er liebe sein Weib ein Leben lang, tue dies aber nur des Tags und dort vielleicht nur über die Dauer eines Gedankens? Das könne nicht von Wahrheit zeugen. Denn im Schlaf – das müsse Peter einsehen – liebe man nicht. Man befinde sich in einem Zustand des Totseins, weshalb Tod und Schlaf nicht aus dem Ungefähr Brüder genannt würden. Die Zeit des Schlafs sei also Verschwendung und folglich Sünde. Die Zeit, die ein Mensch verschlafe, werde ihm nach dem Tod auf die Zeit seines Fegefeuers dazugeschlagen. Er habe drum beschlossen, sein Leben wach und neu zu leben. Und dieses wache, neue Leben werde ihm die Liebe Elsbeths einbringen und die Gewißheit der ewigen Seligkeit im Himmel.

Peter spürte, daß es nichts mehr zu sagen galt. Elias breitete den Gehrock auf den Rand des Steins und ließ sich darauf nieder. Dann befeuchtete er ein Stechäpfelblatt mit seinem Speuz und drehte es zu einem winzigen Röllchen. Dabei lachte er und sagte, er komme sich vor wie die Schindmähre seines Vaters, die erst wach geworden, als man ihr diese Blätter in den After geschoben habe. Peter bemühte sich abermals vergeblich, den Freund von seinem irrwitzigen Plan abzubringen, doch der lachte bloß unbeteiligt. Er solle jetzt gehen, forderte Elias unwirsch, solle sich nur gewissenhaft ausschlafen, denn in zwei oder drei Nächten müsse er munter sein und ihn bewachen. Dann strich er eine Tollkirsche von der Staude, biß in die Kirsche und schluckte die Hälfte.

Die Symptome zeigten sich bald. Etwa eine halbe Stunde nach Peters Fortgehen verfiel Elias in große Euphorie. Er fing an zu singen, erhob sich und tanzte zu seinen Melodien. Dann erlitt er plötzlich krampfhafte Zuckungen und brach schließlich in lang anhaltendes Weinen aus. Als er sich nach Mitternacht wieder beruhigt hatte, wurde er sterbensmüde. Sein Kopf sackte ihm schwer auf die Brust, und als er bemerkte, daß er einige Augenblicke gedöst hatte, klagte er sich mit wüsten Worten an, sprang in den Bach und suhlte sich darin wie ein zentnerschweres Hirschtier. So fühlte er sich nämlich, denn er meinte, an Gewicht zugenommen zu haben.

Als der Morgen aufbrach, die ersten, grellen Sonnenstrahlen in den Blättern des Mischwaldes spielten, da litt sein Gehirn bereits an Verfolgungswahn. Er meinte in den sich bewegenden Blättern pelzbesetzte Lebewesen mit kleinen, aber scharfzahnigen Mäulern zu erspähen. Der ganze Himmel füllte sich mit diesen bedrohlichen Kreaturen, und sie sprangen hin und her, schossen gefährlich auf sein Haupt zu und fielen ihn dennoch nicht an. Am Morgen seiner nunmehr zweiten durchwachten Nacht schien sein Gehör an Hörfähigkeit zuzunehmen, während gleichzeitig das Auge an Sehkraft verlor.

Am Vormittag kam Peter wieder herab zum wasserverschliffenen Stein, doch Elias saß nicht mehr dort. Nur die Hanfseile und der schwarze Gehrock lagen auf dem Stein. Peter rief nach ihm, wartete mehr als eine Stunde, jedoch vergeblich. Er stieg wieder hinauf in der Meinung, Elias sei nun doch von seinem Vorhaben abgestanden. Als er gegen Abend zu dessen Hof schlich, einen Kiesel in die Gadenscheibe warf, sich aber hinter dem Fenster nichts rührte, wurde er traurig. Unverzüglich ging er zur Emmer hinab, allein, Elias ließ sich nicht finden.

Drei Tage und drei Nächte kam er nicht mehr zum Vorschein. Am Morgen des vierten Tags gedachte

Peter, den Schwur zu brechen und eine Handvoll Männer zusammenzurufen, mit denen er zu Mittag die Suche nach dem Verschwundenen aufnehmen wollte. Dazu kam es aber nicht, denn als er noch einmal Ausschau hielt beim wasserverschliffenen Stein, saß Elias wieder dort. Peter beobachtete ihn aus sicherer Entfernung und sah, daß sich Elias nicht mehr sitzend halten konnte. Er sah, daß er noch immer kein Auge zugemacht hatte.

«Wo bist du gewesen?» frug Peter laut. Elias schien die Frage nicht zu hören. Peter frug noch lauter und sah, daß sich das Gesicht des anderen schmerzlich verzog. Nach mühseligem Rätselraten fand er dann endlich heraus, daß sein Freund eine Wanderung auf den höchsten Berg, den Kugelberg, unternommen, sich verirrt und erst jetzt wieder zurückgefunden hatte.

Zwar hätte Elias im jetzigen Stadium noch deutlich und klar sprechen können, allein die berauschende Wirkung der Narrenpilze, gepaart mit dem Stimulans der Stechapfelblätter, machte das Sprechen zur Qual. Elias' Lippen waren geschwollen und schier erstarrt. Was er ausdrücken wollte, bedurfte eines mehrmaligen Anlaufs. Er könne nicht mehr, quälte er sich hartnäckig. Peter müsse ihn aufrichten und mit den Hanfseilen an den Stamm der jungen Esche dort binden. Wie dürfe er Elsbeth jemals unter die Augen treten und ihr sagen, er liebe sie sein Leben lang, wenn er nicht wach bliebe? Peter faßte den abgemagerten Körper und band ihn mit kräftigen Armen an den Baumstamm. Elias dürstete, wie er überhaupt viel Wasser zu sich nehmen mußte. Peter gab ihm die Schlucken mit zärtlicher Vorsicht, doch binnen weniger Minuten hatte Elias das Getrunkene erbrochen.

Am Nachmittag, als es selbst in der Kühle des Waldes schwül wurde, klang die Wirkung der Rauschkräuter aus, und es machte den Anschein, als würde Elias zu Kräften kommen. Jedenfalls vermochte er wieder deutlicher zu sprechen. Ja einmal lachte er sogar und sagte, daß dem Menschen durch den Schlaf die schönste Zeit des Lebens geraubt würde. Er habe die Empfindung, daß die Zeit von größerer Dauer sei, als man gemeinhin annehme. Was ihm früher als Augenblick erschienen, habe jetzt die Länge eines Vormittags. Und er fragte Peter mit großem Ernst, wie lange er sich einen Augenblick Ewigkeit wohl denke. Peter antwortete nicht, sondern hing ihm zur Kühlung den genäßten Gehrock über Kopf und Brust. Er glaube, sprach Elias hinter dem Rock, daß ein Augenblick Ewigkeit sieben bis neun Vormittage unserer Erdenzeit ausmachten. Vielleicht auch mehr. Vielleicht auch weniger. Jedenfalls seien es deren bestimmt drei. Von nun an blieb Peter bei dem Gefesselten. Zwar ging er abends auf den Hof, die Kühe zu melken, eilte dann aber unverzüglich wieder zum Stein hinab.

Kleuben müsse er ihn, in die Wangen, in die Beine, wenn nötig ohrfeigen, sabberte Elias. Tollkirschen müsse er haben. Wasser brauche er, Blätter in den After. Losbinden müsse er ihn, er könne nicht mehr stehen. Peter tat geduldig, was Elias verlangte, ging ein paar Schritte mit ihm, schob ihm eine halbe Tollkirsche zwischen die Zähne und band den kraftlosen Körper wieder fest. Er hatte den Auftrag, ihm ein Hanfseil um die Stirn zu binden, das Ende über einen Ast zu werfen, es zu straffen und schließlich am eigenen Zehen festzuziehen. So wären sie für die Nacht gerüstet. Wenn nämlich sein Kopf herabfalle, würde es Peter sogleich merken, erwachen und ihn zur Wachheit zwingen, ihn zur Wachheit prügeln, denn im Schlaf liebe man nicht.

So zog die sechste Nacht in den Wald, und Elias blieb wach und schlief nicht. Das aber nur mit unsäglicher Anstrengung, denn Peter mußte ihn stets vom Stamm losbinden, einige Schritte mit ihm tun und ihn ins kalte Wasser tauchen. Kaum war Peter eingeschlafen, schrie der Wahnsinnige, er könne sich nicht mehr halten, er habe Angst, selber einzuschlafen.

Am Morgen des siebenten Tages seiner Wachheit verließ ihn Peter für eine dreiviertel Stunde, um auf dem Hof nach dem Rechten zu sehen. Als er zurückkam, sah er, daß Elias eingeschlafen war. Er sah auch, daß dieser nicht mehr imstande war, die Exkremente seines Körpers zurückzuhalten. Vom Schienbein tropfte Urin, und auf der Haut des Märtyrers entdeckte er gelbe, nußgroße Flecken. Da wurde dem Peter derart eng ums Herz, daß er den Schlafenden wach ohrfeigte und ihm ins Gesicht schrie, er könne das nicht mehr länger mitansehen. Wenn Elias nicht unverzüglich mit der Tortur Beschluß mache, wolle er die Schwester holen, sie herführen und diesem schauerlichen Anblick aussetzen. Er wolle ihr eröffnen, weshalb sich Elias derartige Schmerzen zufüge. Da grölte der Dämmernde auf und lallte mit kaum verständlicher Rede, daß Peter einen Schwur zu halten habe. Er selbst habe ihn damals auch gehalten.

Das waren seine überhaupt letzten Versuche zu sprechen, denn fortan war er weder fähig, die Glieder zu rühren, geschweige den Mundkiefer oder die Zunge. Mit dem Zorn des Ohnmächtigen peitschte ihn Peter wieder und wieder wach, stützte den sterbenden Körper, tunkte ihn ins Wasser und zwang ihm kleine Stückchen von Tollkirschen in den Mund. Weil er die

Augenlider nicht mehr offenhalten konnte, die Augen schon entzündet und vereitert waren, nahm Peter Wachspollen, formte sie und legte ihm die Plättchen zwischen die Wimpern. Dadurch konnten die Lider nicht mehr zufallen.

Etwa um die fünfte Nachmittagsstunde trug sich etwas für Peter Unerklärliches zu. In der Gegend, wo sie sich aufhielten, wurde es plötzlich unruhig. Von allen Seiten knackte und raschelte es im Unterholz. Noch nie hatte Peter erleben können, daß sich ein Wild so zum Greifen nahe an einen Menschen heranwagte. Der junge Steinbock, doch das scheueste aller Bergtiere, trank ganz ohne Furcht vom Wasser der Emmer. Ja, er machte keine Anstalten davonzusprengen, als sich Peter vom Stein erhob. Weiter unten, am Saum der Grotte, ästen drei Rehe. Eine Fledermaus tanzte aus dem Dunkel der Grotte und nicht lange, da krabbelten Salamander auf den wasserverschliffenen Stein. Gleichzeitig, das hörte Peter erst jetzt, schlugen die Hunde von Eschberg an. Er konnte ja nicht ahnen, geschweige denn hören, daß der Sterbende in Wirklichkeit noch immer redete. Aber seine Stimme erklang in den Hörfrequenzen der Tiere. Er sang im Ultraschall der Fledermäuse, pfiff unhörbar in den Schwingungen der Füchse und Hunde. Die letzte Botschaft seines elenden Lebens mußten die Waldtiere vernehmen.

In der siebenten Nacht geschah es, daß sich sein Gehör für etliche Momente vervielfachte. Elias nahm nicht nur alle Geräusche seines Körpers wahr, er hörte oder sah gewissermaßen in sie hinein. Sah die Unter- und Obergeräusche der Geräusche, die Unter- und Obertöne der Töne, ja hörte noch die unbedeutendsten Schwingungen seines unregelmäßig gehenden

Herzschlagens. Mehr zu hören, wurde ihm nicht bestimmt, denn Gott war fertig mit ihm.

Am darauffolgenden Morgen ging sein Puls derart schnell, so daß, hätte er schlafen wollen, er dazu nicht mehr in der Lage gewesen wäre. Peter, übermüde von den durchwachten Nächten, vernahm an seiner Brust ein deutliches Auf- und Abschwellen des Herzschlagens. Als er vom Morgenmelken zurückkehrte, hing Elias' Körper leblos in den Hanfseilen. Er band ihn los, der Körper sackte ein. Peter lauschte nach dem Herzschlagen. Es war vorhanden, aber dünn und kaum mehr zu vernehmen.

Um die Zeit des vormittäglichen Angelusläutens, am 9. September des Jahres 1825, verschied Johannes Elias Alder, unehelicher Sohn des Kuraten Elias Benzer und der Agathe Alder, genannt Seffin. Er starb an Atemlähmung, welche aufgrund des überdosierten Genusses der Tollkirsche eingetreten war.

Wir heben die Augen von diesen Papieren und blikken aus unserer niedrigen Schreibstatt – klein wie ein Puppenhaus – hinab auf die jetzt fahlgrau verschneiten Hänge. Fröhliches Kindsgeschrei und das helle Jauchzen einer jungen Mutter hören wir. Und wir sehen die lebendigen Knäuel mit ihren Schlitten heraufkommen, spüren die Freude dieser Kinder, wie sie mühlos durch den tiefen Neuschnee zu waten vermögen. Dann kehren wir an unseren Tisch zurück, wo es noch von der Schwüle des Spätsommers duftet.

Nein, wir trauern nicht um diesen Menschen. Wir trauern um sein Genie und um die Unmöglichkeit seines Liebens. Welch prachtvolle Menschen – kommt uns der Gedanke wieder – muß die Welt verloren haben, nur weil es ihnen nicht gegönnt war, ihr Leben im Gleichmaß von Glück und Unglück zu leben.

Wir schließen die Blätter unseres Büchleins über Johannes Elias Alder. Was kommt, ist von Unerheblichkeit. Es ist das Zu-Ende-Erzählen einer nunmehr unbedeutenden Welt.

Die Auslöschung

PETER saß beim Leichnam und strich mit der Hand seines verkrüppelten Armes Mund und Augen des Elias Alder zu. In der Ferne bimmelte die Angelus-Glocke, und als ihre letzten Schläge verhallt waren, konnte sich Peter nicht mehr bändigen, und er brach in jämmerliches Weinen aus. Dann fing er an, den Leichnam zu liebkosen, so, wie er es in seinen Tagträumen immer getan hatte. Bald trat die Totenbläue auf Elias' Lippen, und die Brust wurde ihm kühl. Da stand Peter auf und beschloß, den Leichnam in der Nähe des Hirschweihers zu begraben. Denn er entsann sich der Worte, die Elias einmal zu Elsbeth gesprochen hatte, indem er sagte, daß alle Eschberger nach ihrem unmittelbaren Tod hier herabsteigen müßten, weil sich über diesem Flecken das Tor zur anderen Welt befinde. Also griff Peter den Leichnam, verbarg ihn sicher im Unterholz, schlich auf den Hof und kam um die Mittagswende mit Pickel und Spaten zurück. Er hatte alle Not, die Füchse und Marder zu verscheuchen, denn sie hatten die Witterung des Kadavers schon aufgenommen. Peter schulterte den Toten, wanderte beschwerlich in die Gegend des Hirschweihers, bettete ihn auf das Moos der Lichtung und fing an zu graben. Er grub das Loch tiefer denn acht Ellen, weil er wußte, daß die Füchse nach dem Kadaver scharren würden.

Dann tat er etwas, das er noch seiner Lebtag nicht getan hatte. Er ging und sammelte Blumen von den spätsommerlich blühenden Bündten. Als er zurückkam, mußte er die Füchse abermals mit Stockhieben vertreiben. Dann bekränzte er das weiße, kurzgeschorene Haupt des Toten, murmelte weinend ein Sterbegebet, hob den Leichnam vom Moos auf und ließ ihn in das Erdloch rutschen. Nach alter Sitte nahm er eine Handvoll Erde und streute sie auf das Haupt des zusammengekauerten Toten.

«Nacket bin ich von Mutterleibe kommen», flüsterte Peter, «nacket werde ich wiederum hinfahren. Der Herr hat's gegeben, der Herr hat's genommen.» Und bei den Worten «Der Name des Herren sei gelobt» fing er wieder an zu flennen. Aber nicht aus Trauer, sondern vielmehr aus Wut.

Er saß lange beim offenen Grab. Dann schloß er das Erdloch und zwar derart, daß er später nicht einmal selber hätte bedeuten können, wo genau die Stelle lag. Er konnte die Stelle aber bedeuten, denn vierzehn Schritte in westlicher Richtung stand eine Rottanne, und in die Rinde dieser Rottanne schnitt Peter ein zierliches ‹E›. Solange Peter gelebt hat, hat er dieses ‹E› mit großer Sorgfalt nachgeschnitzt.

Nachdem er seinen einzigen Freund, seinen heimlichen Geliebten, begraben hatte, ging er auf den Hof zurück und schlief eine Nacht und einen Tag, ohne auch nur einmal zu erwachen. Als er dann die Kühe zum Melken eintrieb, sah er, daß ihre Euter zu rinnen begonnen hatten, denn sie waren zum Platzen voll. Er sah die vor Schmerzen irre gewordenen Kuhglotzen und empfand plötzlich Mitleid mit der wehrlosen Kreatur. Peter war nicht mehr der, der er war.

Wie überhaupt sein unendlich einsames Leben – er

hatte ja die Eltern von seinem Hof vertrieben – eine neue, ungeahnte Wendung erfuhr. Es geschah nämlich, daß sein unruhiger, hinterhältiger Charakter sich in dem Maße veränderte, daß nicht bloß die Menschen allmählich Vertrauen zu ihm fanden, sondern auch – und das wiegt schwerer – die Kreatur. Wie durch ein plötzlich eingetretenes Damaskus-Erlebnis stand Peter von der Quälerei ab, und das Lampartersche Plappermaul will gesehen haben, daß in dessen Stall das Vieh nicht mehr auf den Klattern liegen mußte, sondern im frisch gestreuten Laub. Im Laufe der Jahre genoß Peter großes Ansehen im Dorf, ja einige Monate vor der Zweiten Feuersbrunst ernannte man ihn noch zum Ortsvorsteher. Nur eines begriff man nicht: Weshalb wollte Peter kein Weib ehelichen?

Es ist müßig, darüber zu forschen, weshalb sich Peters Charakter derart verändert hat. Allzu einfach vernimmt sich der Gedanke, er sei, da er das Leid seines verstorbenen Freundes gesehen, auf seinem Lebensweg umgekehrt, habe begriffen, daß der wissentlich zugefügte Schmerz nichts zur Erkenntnis dieses unbegreiflichen Erdenlebens beitragen könne. Das gescheiterte Dasein des Johannes Elias Alder hat ihn geläutert. Daran glauben wir mit kindlichem Ernst, denn das Böse ringt so lange mit dem Guten, bis es im Guten untergeht.

Mit achtunddreißig Jahren – sechzehn Jahre nach dem Tod des Elias Alder – starb Peter am Sankt-Antonius-Feuer, einer geheimnisvollen Krankheit, der damals etliche Eschberger zum Opfer fielen. Er hatte sich an pilzverseuchtem Roggen angesteckt, was zur Folge hatte, daß sich die Glieder plötzlich schwarz färbten und schließlich allmählich abstarben.

Peter hat die Verheerungen des Zweiten Feuers

noch mit eigenen Augen erlebt. Es war aus ungeklärter Ursache an einem föhnigen Märzmorgen ausgebrochen. Das Zweite Feuer zerstörte fast das gesamte Dorf, das Kirchlein brannte bis auf die Grundmauern nieder. Zu beklagen galt es dieses Mal aber nur ein einziges Menschenleben, das Vieh blieb unversehrt, weil es rechtzeitig genug nach Götzberg getrieben worden war.

Es hätte überhaupt niemand sterben müssen, wenn da nicht dieses schreckliche Mißverständnis geschehen wäre: Die Seffin meinte nämlich, er sei schon aus dem Haus gebracht worden. In Wirklichkeit hatte Fritz den Mongoloiden in Sicherheit gebracht, nicht aber den Vater. So mußte der gelähmte Seff verbrennen, und ein Lamparter will beim Vorbeirennen ein Geschrei vernommen haben, das ihm wie entsetzliches Gelächter vorgekommen sei. Er habe gemeint, es sei das Gelächter eines verzweifelten Nachbarn, der seinen Hof zum zweiten Mal niederbrennen sah. Auch er habe gelacht vor Weinen.

Wir ersparen dem Leser, der uns ein guter Freund geworden ist – er wäre unmöglich bis an diesen Punkt unseres Büchleins vorgedrungen – , die Einzelheiten der Auslöschung des Dorfes Eschberg. Beim Zweiten Feuer schienen die Menschen aber begriffen zu haben, daß Gott sie hier niemals gewollt hatte. Sie zogen von Eschberg weg. Doch nicht alle gingen. Zwei Lamparter Familien und eine Aldersche, insgesamt dreizehn Menschen, blieben mit unglaublicher Sturheit im Dorf zurück. Als dann am 5. September des Jahres 1892 das Dritte Feuer tobte, verbrannten in ihren Betten zwölf Menschen, in den Ställen achtundvierzig Stück Vieh. Ein einziger blieb am Leben. Er hieß Cosmas Alder. Cosmas war ein klein gewachsener Mensch, ein Greis nunmehr, mit verschnapster Knollennase.

Frau Mutter, was meint Liebe?

ES war etwa neun Jahre nach seinem Tod, an einem jener verregneten Maisonntage, der die Kinder in der Stube aufsässig werden läßt vor Langeweile. Da beschloß die Lukasin, mit ihren sechs Kleinen eine Wanderung bachabwärts zu unternehmen. Sie wollte ihnen das Schauspiel der braunstürzenden Emmer zeigen, war selbst neugierig darauf, welchen Lauf der Bach nach dem Unwetter eingeschlagen hätte.

Obwohl sie noch ein jung zu nennendes Weib war, hatten die fast jährlichen Geburten ihre Schönheit verzehrt. Ihre Zähne waren schlecht geworden, die Hände grobgeschafft und verhornt von der Arbeit auf Hof und Bündt. Das Handwerk der Damaststickereien hatte sie aufgeben müssen, aber das war ihr gleichviel. Sie hatte ihre Bestimmung gefunden.

Mit ihrer dunklen Stimme, die er so sehr geliebt hatte, hielt sie die Kleinen an, ihr in Gänsereihe Hand in Hand zu folgen. So wanderten sie auf dem kurvenreichen Uferpfad, mal bergauf und mal bergab. Cosmas, ihr Erstgeborener, machte das Schlußlicht und befehligte mit «Obacht!» und «Halt!» stolz die Schar seiner Soldaten.

Als die Lukasin an den Ort kam, wo sie in ihrer Jugend oft mit ihm gesessen, hielt sie plötzlich inne und rief ganz erstaunt aus: «Der Stein ist weg!»

«Der Stein?» frug die vierjährige Anna wichtig.

«Er ist weg!» schrie die Lukasin, «das Unwetter hat ihn fortgerissen!» Der Regen hatte aufgehört, und die Kinder warfen ihre Kapüzchen zurück. Da sagte die Lukasin, sie sollten sich dicht um sie scharen, sie wolle ihnen ein Märchen erzählen. Die Kinder taten freudig, was sie ihnen befohlen und machten neugierige Gesichtchen.

«Dort drüben», bedeutete die Lukasin, «hat viele Jahre ein großer Stein gelegen. Er sah aus wie die Fußsohle unseres Herrn und Gottes.»

In Eschberg habe damals ein junger Mann gelebt, fuhr sie fort, dem ein schweres Kreuz zu tragen bestimmt gewesen war. Er habe nämlich von Geburt an gelbleuchtende Augen gehabt. An diesem Makel habe er fürchterlich gelitten. Sie selbst sei mit diesem Mann gut bekannt gewesen, ja er habe ihr, als das Dorf niedergebrannt, das Leben gerettet. Der Mann sei von sehr verschwiegener Natur gewesen. Niemand habe in ihn hineinblicken können. Eines schönen Sonntags habe der geheimnisvolle Mann die Orgel im Kirchlein bestiegen, habe derart schön gespielt, daß die Menschen vor Freude nach ihren Sacktüchern hätten langen müssen. Sie habe auch schnupfen müssen, so großartig sei das Spiel gewesen. Dabei habe der Mann niemals Orgeln gelernt. Einige Jahre später sei er dann plötzlich spurlos verschwunden. Er sei nicht wiedergekommen, wiewohl man überall nach ihm gesucht habe. Sie glaube aber, daß er noch am Leben sei. Vielleicht sei er nur deswegen von Eschberg weggegangen, weil er hier seine Liebe nicht habe finden können.

«Und dort drüben», schloß die Lukasin ihr Märchen, «wo früher der große wasserverschliffene Stein gelegen hat, dort war sein Lieblingsort.»

Die Kinder blickten sie mit runden, braunen Augen an. Da trat Cosmas, der Älteste, zur Mutter hin und frug mit verstellt erwachsener Stimme: «Frau Mutter, was meint Liebe?»

«Was Liebe meint?» lachte die Lukasin, küßte ihm sein glänzendes Knollennäschen und zog ihm die Kapuze über den Kopf. Denn der Regen hatte wieder eingesetzt.

RECLAM-BIBLIOTHEK

Robert Schneider
Dreck

71 Seiten. RBL 1469. 12,– DM
ISBN 3-379-01469-9

Ein Mann betritt die Bühne mit einem Strauß Rosen im Arm. Er verkauft an den Abenden die Blumen, um sein Studium zu finanzieren. Der Mann heißt Sad, er ist Araber. So sehr ist der Haß der Inländer in ihm Fleisch geworden, daß er ihn gegen sich selbst richtet. Es stimmt, sagt er, ich bin dreckig. Ich wasche meine Hände, aber ich bleibe dreckig. Das stimmt. Seine Rede steigert sich, wird leidenschaftlich, wird verzweifelt. Er redet weiter. Er schreit – schreit um sein Leben. Der hilflose Versuch des Rosenverkäufers, sich selbst zum Verschwinden zu bringen, macht beklemmend die Gnadenlosigkeit und Brutalität des Alltäglichen erfahrbar, in dem für Fremdes kein Platz ist.

Es gibt kein besseres aktuelles Stück gegen Fremdenfeindlichkeit.

Ulrich Fischer in: Bayrischer Rundfunk